Cómo funciona Internet

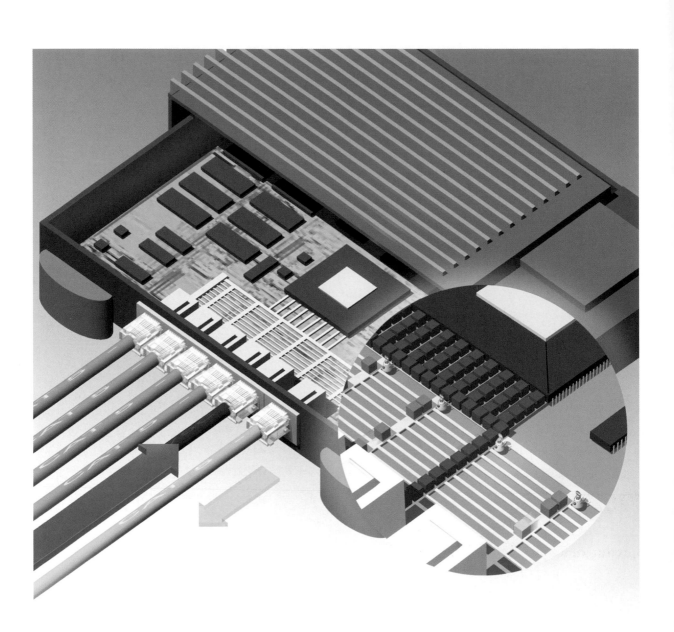

Cómo funciona Internet

Preston Gralla

Ilustraciones por Michael Troller

TÍTULOS ESPECIALES

TÍTULO DE LA OBRA ORIGINAL:
How the Internet Works, Eighth Edition

RESPONSABLE EDITORIAL:
Eugenio Tuya Feijoó

TRADUCCIÓN:
Beatriz Tarancón Álvaro

Edición española:

© EDICIONES ANAYA MULTIMEDIA (GRUPO ANAYA, S.A.), 2007
   Juan Ignacio Luca de Tena, 15. 28027 Madrid
   Depósito legal: M. 19.433-2007
   ISBN: 978-84-415-2208-4
   Printed in Spain
   Imprime: Varoprinter, S.A.

Acerca del autor

PRESTON GRALLA es el galardonado autor de 20 libros, entre los que se incluyen Cómo funcionan las redes inalámbricas y Windows XP, los mejores trucos. Trabaja como editor ejecutivo y como columnista para CNet y ZDNet, publica columnas sobre tecnología en el Dallas Morning News y escribe sobre tecnología para muchas revistas y periódicos, como USA Today, PC Magazine, Los Angeles Times, Boston Magazine, PC/Computing, Computerworld y FamilyPC entre otros muchos. Gralla ha ganado diversos premios periodísticos y de edición, entre los que cabe destacar el otorgado por la Computer Press Association al mejor artículo publicado en una revista de informática.

Es un reconocido experto en ordenadores y en Internet, participa con frecuencia en diversas cadenas de TV y emisoras de radio, por ejemplo, CBS Early Show, CNN, All Things Considered de National Public Radio, MSNBC, CNBC, TechTV y CNet Radio.

Fue el editor ejecutivo fundador de una conocida revista, PC Week y uno de los editores fundadores de PC/Computing. Cuando trabajaba como editor de PC/Computing, esta publicación fue finalista de los National Magazine Awards.

Gralla vive en Cambridge, Massachusetts, con su mujer Lydia, sus hijos Gabriel y Mia y un conejo llamado Polichinelle. También es el autor del boletín de noticias por email Gralla's Internet Insider. Si desea suscribirse a él gratuitamente, envíe un correo electrónico a preston@gralla.com incluyendo las palabras SUBSCRIBE NETINSIDER en el asunto.

Agradecimientos

Este libro, como Internet, ha sido un trabajo de equipo. Puede que mi nombre aparezca en la portada, pero no soy en absoluto la única persona implicada en su creación.

Stephanie McComb, coordinadora editorial, ha tenido un papel fundamental para lograr que este libro sea ahora una realidad y, como siempre, ha sido un placer trabajar con ella.

El ilustrador de este libro, Michael Troller, merece todos los agradecimientos. Sus ilustraciones han convertido este libro en una experiencia enriquecedora, todo un placer visual.

Gracias también a todos los ilustradores de pasadas ediciones: Mina Reimer, Sarah Ishida, Shelly Norris, y Stephen Adams. Y mi más sincero agradecimiento a todo el equipo de Que (incluyendo a Kevin Howard, Mandie Frank, Linda Seifert, Tammy Graham y Ken Johnson) que produjo el libro.

Tengo que dar las gracias también a las muchas, muchas personas que entrevisté para este libro. Al personal de Quarterdeck Corporation, Chaco Communications, Progressive Networks, White Pine Software, Microsoft, Netscape, Headspace, SurfWatch Software, WebTV, Accrue, VDONet Corporation, America Online, Yahoo!, Hilgraeve, Fairmarket, eWallet y Nuborn Technologies, y éstos son solo algunos de los que me dedicaron su tiempo para ayudarme a comprender el meollo del funcionamiento de las distintas tecnologías de Internet.

Tim Smith me ofreció también una ayuda vital.

He recopilado una gran cantidad de información de muchos documentos FAQ y de documentos similares disponibles en enormes cantidades en Internet. Me gustaría dar las gracias a los autores anónimos de esos documentos, sean quienes sean.

Finalmente, tengo que hacer una mención especial en este apartado de agradecimientos a mi mujer, Lydia. Ella aguantó esas miradas vidriosas ocasionales que eran la única respuesta que obtenía a preguntas sencillas del tipo "¿Has vuelto a meter las llaves en el frigorífico?" Además soportó mi absoluto despiste mientras trataba de encontrar la forma de explicar cómo funcionan los firewall, las DSL o los zombis, cuando debería haber estado concentrado en cuestiones más inmediatas.

Introducción

EN la actualidad, navegar por la red y hacer clic en un vínculo es algo de lo más común, pero, ¿se ha preguntado alguna vez cómo funciona? Quizá esa misma pregunta le haya asaltado mientras estaba transfiriendo un archivo a su ordenador a través de FTP, o leyendo un mensaje de un grupo de noticias, o la primera vez que oyó hablar de tecnologías como span, cookies y firewalls. A lo mejor le gustaría saber cómo un mensaje que se envía desde su ordenador viaja a través de la inmensidad del ciberespacio y termina en el buzón de correo adecuado, al otro lado del mundo. ¿Alguna vez ha deseado saber cómo se las apañan las herramientas de búsqueda para encontrar la información precisa que usted trata de encontrar de entre los millones de informaciones que contiene Internet? ¿Cómo puede escuchar música y ver animaciones mientras navega por la Web?

Este libro está diseñado para cualquiera que esté interesado en Internet. Su principio fundamental es éste: No importa lo profesional que sea en el mundo cibernético (o lo novato), hay muchas cosas que no puede comprender sobre Internet. Veamos un pequeño ejemplo. Tengo un amigo que lleva años ganándose la vida con empresas relacionadas con Internet. Es un completo profesional del tema que vive y respira en Internet. Un día prácticamente me susurró: "No me gusta tener que admitir esto, pero no sé lo que es un servidor proxy. ¿Cómo funciona?"

Él no está solo. Internet cambia tan rápidamente y la tecnología avanza a tal velocidad que puede parecer prácticamente imposible estar siempre al día de todo. Si usted se parece a todas las demás personas que tienen relación con Internet, seguro que sus preguntas son muy similares a las de mi amigo. Aquí encontrará todas las respuestas.

En la Parte 1, "Comprender la arquitectura subyacente de Internet", explicaremos los fundamentos que se ocultan detrás de Internet: quién la hace funcionar, cómo funciona TCP/IP, cómo comprender las direcciones y los dominios de Internet y temas similares. Aquí comprenderá cosas como los routers y la forma en la que la arquitectura cliente/servidor sustenta prácticamente todos los aspectos de Internet.

La Parte 2, "Conectarse a Internet", describe las distintas formas disponibles para conectar su ordenador a Internet. Existen una gran variedad de maneras de hacerlo, como a través de cable módem, por DSL, a través de un servicio online, de un satélite, de forma inalámbrica y de otras muchas formas. Hablaremos de todo eso y más en esta sección.

En la Parte 3, "Comunicarse en Internet", trataremos todos los aspectos de las comunicaciones por Internet. Descubriremos cómo funciona el correo electrónico y los grupos de trabajo, cómo funciona el chat IRC, qué son los mensajes de correo spam y qué es lo que puede hacer para evitarlos, cómo funciona la mensajería instantánea y cómo puede utilizar Internet y una técnica denominada VoIP para hacer llamadas telefónicas a cualquier parte del mundo.

La Parte 4, "Cómo funciona la Web", trata de lo que se ha convertido con mucho en la sección más popular de Internet, la Web. Aprenderemos prácticamente todos los aspectos de cómo funciona la Web. Ahondaremos en la forma en la que funcionan los navegadores, el software de servidores Web y el lenguaje HTML. En esta sección hablaremos asimismo de las distintas maneras en las que la Web se integra directamente en su ordenador, de cómo se publican y organizan las páginas Web en un sitio y de todos los demás aspectos de la Web que probablemente serán de su interés.

La Parte 5, "Utilizar la Web", le mostrará la Web en su utilización verdadera en el mundo real. Así, descubriremos cómo Google es capaz de buscar por toda Internet y encontrar exactamente lo que usted está buscando, y cómo los sitios de mapas le proporcionarán rutas de cualquier lugar al que quiera ir.

En la Parte 6, "Entretenimiento y opciones multimedia en Internet" hablaremos de cómo funcionan algunos de los componentes más emocionantes de Internet: las distintas tecnologías multimedia. En esta sección aprenderá cómo funciona la realidad virtual y las animaciones, cómo funciona el vídeo al que accedemos directamente, sin necesidad de descargarlo (*streaming vídeo*) y la videoconferencia y tecnologías similares.

La Parte 7, "Compras y negocios en Internet", trata de cómo funciona Internet con el mundo exterior y de cómo puede hacer compras online. Analizaremos las tecnologías subyacentes que le permiten hacer compras en la Web, una actividad que representa miles de millones al año en ventas.

Finalmente, en la Parte 8, "Protegerse en Internet" hablaremos de temas relacionados con la seguridad. Los capítulos incluidos en esta parte le explicarán la polémica tecnología de cookies que permiten a los servidores Web incluir bits de información en su disco duro y utilizar dicha información para seguirle la pista. En esta parte veremos además cómo funcionan los firewalls, cómo atacan los virus su ordenador y cómo los sistemas criptográficos le permiten enviar información confidencial por Internet. Ahondaremos en la forma en la que los piratas pueden atacar a los proveedores de Internet (ISP) utilizando los denominados ataques de denegación del servicio (DoS) y cómo pueden atacar también a su ordenador. En esta sección hablaremos asimismo de la forma en la que el denominado spyware puede informar de sus actividades de navegación por la red, y de cómo su lugar de trabajo puede controlar sus actividades en Internet.

Así que, adelante, empiece a leer y comprenda cómo funciona la gran Internet. Incluso si es usted un cibernauta profesional (y especialmente si no lo es), descubrirá un montón de cosas que antes no sabía.

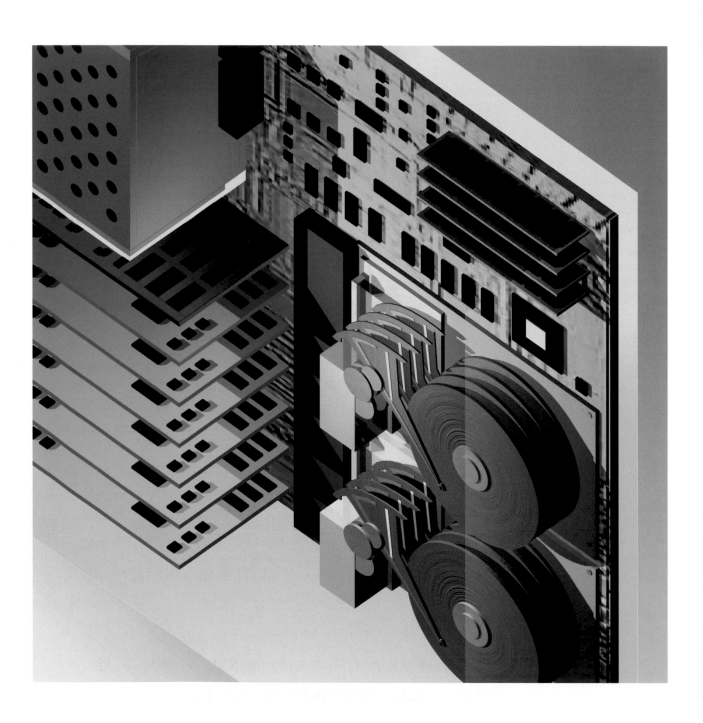

1

Comprender la arquitectura subyacente de Internet

POR primera vez en la historia, tiene el mundo al alcance de sus dedos. Desde su ordenador puede encontrar información sobre cualquier cosa que pueda nombrar o incluso imaginar. Puede comunicarse con personas que se encuentren al otro lado del mundo. Puede establecer una videoconferencia, accede a los recursos de poderosos ordenadores en cualquier lugar del globo, llevar a cabo búsquedas por las mejores bibliotecas del mundo y visitar los museos más sorprendentes del mundo. Puede ver vídeos, escuchar música y compartirla con otras personas y leer revistas multimedia especializadas. Puede comprar prácticamente cualquier cosa. Y todo esto puede hacerlo desde la red informática más grande del mundo, Internet.

Internet no es una única red: es una enorme red de redes que abarca todo el globo. No está dirigida por una sola persona, por un grupo o por una organización. Es el máximo exponente de la democracia electrónica. Las redes se comunican entre sí basándose en determinados protocolos, como el protocolo TCP (Protocolo de Control de Transmisión) y el protocolo IP (Protocolo de Internet). Todos los días se conectan a Internet más ordenadores y más redes. Existen decenas de miles de estas redes, desde las redes universitarias a las redes de área local de las empresas, pasando por los grandes servicios online tales como America Online y MSN. Cada vez que accede a Internet, su ordenador se convierte en una extensión de dicha red.

Utilizaremos la primera sección de este libro para definir Internet. Examinaremos también las arquitecturas, los protocolos y los conceptos generales que hacen que todo esto sea posible.

El capítulo 1, "¿Qué es Internet?" explica cómo funciona Internet. Veremos quién paga los ejes centrales de datos de alta velocidad que transportan la mayor parte del tráfico de Internet y hablaremos de las organizaciones que garantizan el establecimiento de una serie de estándares para las redes, de forma que Internet pueda funcionar correctamente. También examinaremos los distintos tipos de redes conectadas a Internet.

El capítulo 2, "Cómo envían datos las redes informáticas a través de Internet" le explica cómo viaja la información por Internet y describe cómo el hardware (routers, repetidores, puentes) envía información entre las redes. Además, le enseñará cómo las redes más pequeñas se agrupan en redes regionales más grandes, y cómo esas redes regionales de mayor tamaño se comunican entre sí.

El capítulo 3, "Cómo funciona TCP/IP", trata de los protocolos básicos de comunicación de Internet. Aprenderemos un poco más de jerga básica de Internet, como TCP/IP (iniciales de Protocolo de Control de Transmisión y Protocolo de Internet en inglés). Este capítulo le explicará asimismo cómo funcionan esos protocolos y cómo un determinado software especial, como Winsock, permite que los ordenadores personales entren en una red originalmente diseñada para ordenadores más grandes.

El capítulo 4, "Comprender la estructura del software de Internet", se ocupa de la arquitectura cliente/servidor de Internet. Los servidores, también llamados *hosts*, son potentes ordenadores que llevan a cabo funciones tales como la entrega de información o páginas Web, el hospedaje de bases de datos y la gestión de correo electrónico.

Un cliente es su propio ordenador y el software que contiene, como el navegador Web o una parte del software del correo electrónico. Los clientes piden la información a los servidores, que llevan a cabo el procesamiento más complejo y envían después la información al cliente, que la visualiza.

El capítulo 5, "Cómo funcionan las direcciones y los dominios de Internet", desvela el misterio del, con frecuencia, complejo sistema de direcciones de Internet. Veremos qué son los dominios y las direcciones de Internet e incluso conseguiremos que tengan sentido. Más aún, aprenderemos cómo los servidores de dominio siguen la pista de todas las ubicaciones de Internet y traducen direcciones como `www.zdnet.com` a direcciones IP de Internet del tipo `134.54.56.120`. También le mostraremos cómo servidores especiales asignan a algunos ordenadores nuevas direcciones IP cada vez que se conectan a Internet.

El capítulo 6, "Cómo funcionan los routers" explica en detalle cómo funciona el hardware más básico de Internet, el router. Los routers son combinaciones de hardware y de software cuya tarea es garantizar que todos los datos se envíen al destino adecuado. Piense en los routers como en policías que dirigen el tráfico en Internet. Utilizan las direcciones IP que los servidores han traducido para dirigir los datos. Los routers observan las direcciones y después envían los datos al siguiente router más cercano al destino, y así sucesivamente, hasta que se entregan los datos. Utilizan tablas de recorridos para determinar cómo dirigir el tráfico, y pueden ajustar las rutas a medida que cambie el tráfico en Internet, garantizando así que los datos se dirigen de la forma más eficaz posible.

Ya sea usted un principiante o un profesional en el tema, esta sección le enseñará los fundamentos de Internet.

CAPÍTULO

1

¿Qué es Internet?

UNA de las preguntas que nos hacemos con más frecuencia sobre Internet es "¿Quién la dirige?". La verdad es que no existe ninguna gestión centralizada de Internet. En vez de eso, existe un conjunto de miles de redes y de organizaciones individuales, cada una de las cuales se dirige y se financia por sí misma. Cada red coopera con otras redes para dirigir el tráfico de Internet, de forma que la información pueda pasar de unas a otras. Juntas, estas redes y organizaciones configuran el cableado mundial de Internet. Sin embargo, para que las redes y los ordenadores cooperen de esta forma, es necesario que se formalice un acuerdo general sobre temas como procedimientos de Internet y estándares para los protocolos. Estos procedimientos y estándares se basan en peticiones de comentarios (RFC) sobre las que todos los usuarios y organizaciones de Internet están de acuerdo.

Existen distintos grupos que guían el crecimiento de Internet ayudando a establecer estándares y educando a la gente sobre la forma adecuada de utilizar Internet. Quizá la más importante sea la *Internet Society*, un grupo privado sin ánimo de lucro. La *Internet Society* apoya el trabajo del IAB (*Internet Architecture Board*), que gestiona la mayor parte de los temas de arquitectura y subyacentes de Internet. La IETF (*Internet Engineering Task Force*) es la responsable de supervisar cómo evolucionan los protocolos TCP/IP de Internet. Si desea obtener más información sobre la IETF, diríjase a www.ietf.org. El W3C (*World Wide Web Consortium*) desarrolla estándares para mejorar la parte más conocida de Internet, la Web (puede acceder a su página Web desde la dirección www.w3.org). El W3C es un consorcio de la industria dirigido por el *Laboratory for Computer Science* en el *Massachusetts Institute of Technology* (MIT).

Existen empresas privadas que supervisan el diseño de dominios de Internet, como www.zdnet.com o www.quepublishing.com. Estas empresas de registro de dominio deben cooperar todas entre sí para garantizar que sólo una persona o empresa pueda poseer un determinado dominio y que todos los dominios funcionan de la forma adecuada. Estos registradores de dominio también compiten entre sí a la hora de permitir que las personas y otras empresas registren dominios. El registro de un dominio cuesta dinero, y las empresas de registro compiten en el precio y ofreciendo servicios extra a aquellos que compran dominios.

Aunque todos estos tipos de organizaciones son importantes para mantener unida Internet, en el centro de Internet nos encontramos con las redes locales individuales. Estas redes pueden encontrarse en empresas privadas, universidades, agencias gubernamentales y servicios online. Se financian de forma independiente de distintas maneras como a través de cuotas que se cargan a los usuarios, por medio de apoyo corporativo o mediante impuestos y subvenciones. Muchos de los proveedores de servicios de Internet (ISP), que proporcionan acceso a Internet a individuos, tienen también redes. Los individuos que quieren acceder a Internet pagan al ISP una cuota mensual de conexión por lo que, en ese sentido, cualquier persona que utiliza Internet está ayudando económicamente a su mantenimiento.

Las redes se conectan de distintas formas. En aras de la eficacia, las redes locales se unen en consorcios conocidos como redes regionales. Distintas líneas alquiladas conectan las redes regionales y locales. Estas líneas alquiladas que conectan las redes pueden ser tan sencillas como una mera línea telefónica o tan complejas como un cable de fibra óptica con vínculos microondas y transmisiones por satélite.

Las empresas privadas que ganan dinero vendiendo el acceso a sus líneas forman los ejes centrales (en inglés, *backbones*), unas líneas de una muy alta capacidad que transportan enormes cantidades del tráfico de Internet. Agencias gubernamentales, como la NASA y algunas grandes corporaciones privadas son las que pagan estos ejes centrales. La *National Science Foundation* también paga algunos de estos ejes.

Cómo se unen los distintos elementos de Internet

Organización de las redes. Como Internet es una organización amplia de redes, ningún grupo la dirige ni la costea económicamente de forma individual. Son muchas las organizaciones privadas, las universidades y las agencias gubernamentales que pagan y dirigen distintas partes de ella. Todos trabajan de forma conjunta en una alianza democrática y organizada de forma flexible. Estas organizaciones privadas de las que hablamos van desde pequeñas redes locales a servicios comerciales online, como America Online y MSN y los ISP privados que venden acceso a Internet.

Red regional

Financiación de Internet. A través de algunas agencias como la *National Science Foundation*, el gobierno federal paga algunos de los ejes centrales de alta velocidad que transportan el tráfico de Internet por el país y por el mundo. La vBNS de alta velocidad, por ejemplo, proporciona una infraestructura de alta velocidad para la comunidad investigadora y educativa uniendo centros macroinformáticos. Con frecuencia, una corporación o una organización de grandes dimensiones como la NASA proporciona ejes centrales para unir distintos sitios en el país o en el mundo. El gobierno estadounidense ha financiado asimismo Internet2, una red superrápida que puede transferir datos a una increíble velocidad de 2,4 gigabits por segundo, dirigida a ser utilizada por las universidades. Internet2 está desarrollando también diversas tecnologías futuras de Internet que permitirán la creación de nuevos usos de Internet tales como bibliotecas digitales, laboratorios virtuales y sistemas de aprendizaje independientes a distancia.

Redes regionales. Las redes regionales proporcionan y mantienen el acceso a Internet dentro de una determinada área geográfica. Las redes regionales pueden estar formadas por redes y organizaciones más pequeñas situadas dentro del área y que se han unido para proporcionar un mejor servicio.

Empresas de registro. Las empresas privadas, denominadas empresas de registro de dominios, son las responsables del registro de dominios en Internet, como www.zdnet.com, para personas y negocios. En el pasado, una empresa cuasi pública llamada InterNIC era la única responsable de llevar a cabo esta tarea, pero, en la actualidad, existen otras empresas que pueden registrar dominios.

Centro macroinformático

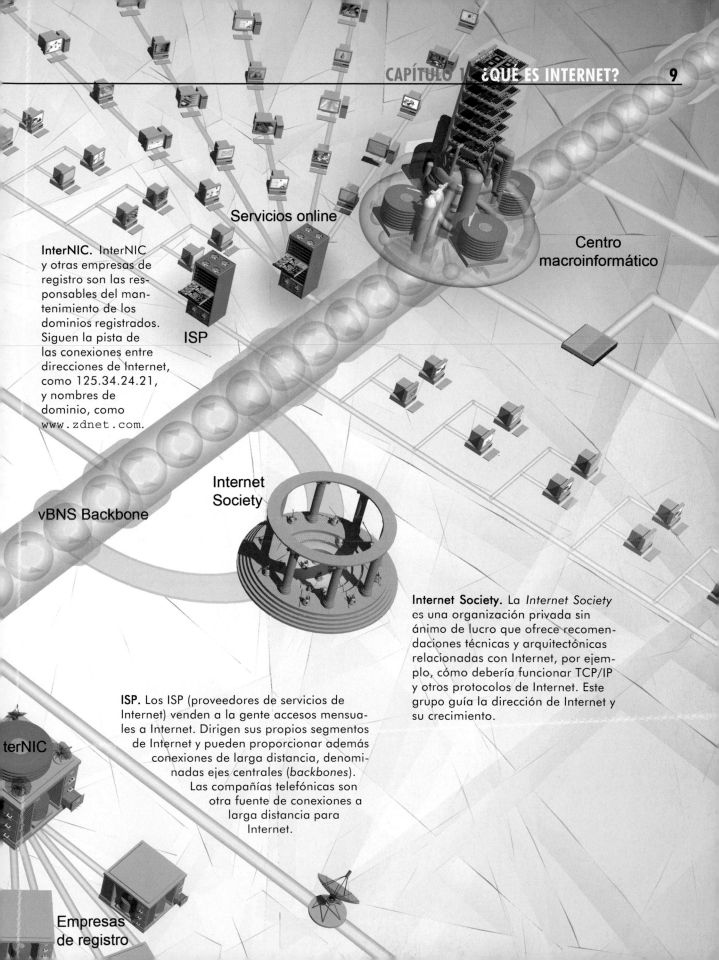

Servicios online

InterNIC. InterNIC y otras empresas de registro son las responsables del mantenimiento de los dominios registrados. Siguen la pista de las conexiones entre direcciones de Internet, como 125.34.24.21, y nombres de dominio, como www.zdnet.com.

Centro macroinformático

ISP

vBNS Backbone

Internet Society

terNIC

Internet Society. La *Internet Society* es una organización privada sin ánimo de lucro que ofrece recomendaciones técnicas y arquitectónicas relacionadas con Internet, por ejemplo, cómo debería funcionar TCP/IP y otros protocolos de Internet. Este grupo guía la dirección de Internet y su crecimiento.

ISP. Los ISP (proveedores de servicios de Internet) venden a la gente accesos mensuales a Internet. Dirigen sus propios segmentos de Internet y pueden proporcionar además conexiones de larga distancia, denominadas ejes centrales (*backbones*). Las compañías telefónicas son otra fuente de conexiones a larga distancia para Internet.

Empresas de registro

Una línea del tiempo de Internet

1969. El Departamento de Defensa de los EEUU financia ARPANET, una red que fue la precursora de Internet. Permitía que los investigadores se conectaran a centros informáticos remotos y usaran los recursos de dichos centros. Los nodos de la red están montados en UCLA, *Stanford Research Institute*, la *University of California*, Santa Barbara, y la *University of Utah*. La primera utilización real de la red se dio cuando alguien llamado Charley Kline intentó acceder desde UCLA a un ordenador del *Stanford Research Institute*. Se estableció un modelo que perdura en la actualidad: el sistema se colapsó mientras escribía la letra "G" de LOGIN.

1972. Larry Roberts escribe el primer programa de correo electrónico que gestiona, lee, archiva y responde mensajes.

1974. Los denominados "padres de Internet", Vint Cerf y Bob Kahn publican un artículo titulado "*A Protocol for Packet Network Interconnection*", que define el protocolo básico para las comunicaciones por Internet, el TCP (Protocolo de Control de Transmisión).

1982. El Protocolo de Control de Transmisión (TCP) y el Protocolo de Internet (TCP/IP) se establecen formalmente como los protocolos subyacentes de Internet. Internet se define como una red de redes.

1984. Aparece el DNS (*Domain Name System*; sistema de nombres de dominio). El número de servidores en Internet supera los 1.000 por primera vez.

1986. Se crea el eje central NSFNET, con una velocidad de 56Kbps. Se diseña el protocolo de transferencia de noticias, NNTP (*Network News Transfer Protocol*) para facilitar la creación y utilización de los grupos de noticias Usenet a través de TCP/IP.

1988. Un gusano creado por Robert Morris, Jr., licenciado en informática en Conell, se reprodujo tan rápidamente que obstruyó el tráfico de Internet e interrumpió el funcionamiento de gran parte de la red. El padre de Morris era en aquel momento director científico de la secreta Agencia de Seguridad Nacional Federal. Se creó un equipo de respuesta a emergencia informáticas, CERT para acabar con este gusano.

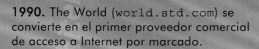

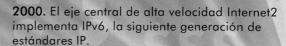

1990. The World (world.std.com) se convierte en el primer proveedor comercial de acceso a Internet por marcado.

1991. Tim Berners-Lee crea la *World Wide Web* en el Laboratorio Europeo de Física de Partículas (CERN) en Suiza.

1993. Se pone en funcionamiento el sitio Web de la Casablanca. La dirección de email del presidente Bill Clinton es president@whitehouse.gov; la del vicepresidente Al Gore es vicepresident@whitehouse.gov.

1994. David Filo y Jerry Yang, licenciados en Stanford, fundan Yahoo. Aparecen los primeros *banners* publicitarios en la Web. Aparecieron en www.hotwired.com y eran de la bebida Zima y de AT&T.

1995. Aparece el sitio de subastas online eBay con el nombre de Auctionweb, que se cambiará por eBay en 1997. La empresa del navegador Netscape se da a conocer a través de una oferta pública inicial.

1996. Larry Page y Sergey Brin, doctores por la *University of Stanford*, inician un proyecto de investigación denominado Google.

1997. Se acuñan los términos weblog y blog.

1999. Aparece el software Napster, que permite a la gente compartir archivos, en particular música, a través de Internet.

2000. El eje central de alta velocidad Internet2 implementa IPv6, la siguiente generación de estándares IP.

2001. Los gusanos y los virus constituyen un peligro cada vez mayor; el gusano Code Red y el virus Sircam causan daños a empresas y a individuos y ralentizan el acceso a Internet.

2002. Algunas áreas de Internet quedan inutilizables después de que un ataque DDoS deje fuera de servicio 8 de los 13 servidores principales DNS de Internet.

2003. La *Recording Industry Association of America* (RIAA) demanda a 261 personas por una presunta distribución ilegal de archivos de música con copyright por Internet.

2004. Los gastos online continúan aumentando y alcanzan un record de 117 mil millones, un incremento del 26% respecto a 2003.

2005. En enero, la enciclopedia online Wikipedia (www.wikipedia.com) alcanza la cifra de 900.000 artículos.

2006. Las comunicaciones telefónicas a través de Internet son cada vez más populares gracias al protocolo de voz por Internet (VoIP). Aparecen nuevos servicios, como Vonage, dedicados a esto, mientras que las compañías de cable ofrecen sus propios planes de VoIP, y servicios como Skype utilizan VoIP para ofrecer gratuitamente llamadas entre PC y teléfonos convencionales.

Nota: Agradecemos a Internet Timeline de Hobbes parte de la información contenida en esta ilustración. Si desea ver la línea del tiempo completa, diríjase a http://www.zakon.org/robert/internet/timeline.

CAPÍTULO

2

Cómo envían datos las redes informáticas a través de Internet

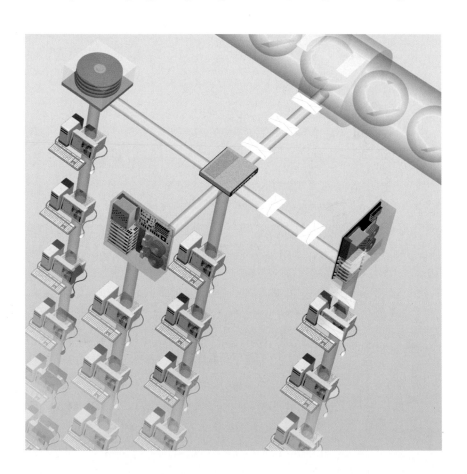

QUIZÁ dé por supuesto que cuando envía información a través de Internet siempre llega a su destino. Sin embargo, el proceso de envío de dicha información es increíblemente complejo.

Cuando envía información a través de Internet, el protocolo TCP (el lenguaje que utilizan los ordenadores cuando se comunican por Internet) divide primero la información en paquetes, bloques más pequeños de información que contienen también distintos datos que ayudan a esos paquetes a viajar por Internet. Su ordenador envía esos paquetes a su red local, ISP o servicio online.

Desde allí, los paquetes pasan por muchos niveles de redes, ordenadores y líneas de comunicación antes de llegar a su destino final, que podría estar al otro lado de la ciudad o en cualquier parte del mundo. Distintos tipos de hardware procesan esos paquetes y los dirigen a sus destinos. Este hardware está diseñado para transmitir datos entre redes y constituye una parte muy importante del aglutinante que mantiene Internet de una pieza. Cinco de los tipos de hardware más importantes son: hubs, puentes, puertas de acceso, repetidores y routers.

Los hubs son importantes porque conectan grupos de ordenadores entre sí y permiten que los ordenadores se comuniquen unos con otros. Los puentes conectan redes de área local (LAN) entre sí. Permiten que los datos cuyo destino sea otra LAN se envíen allí, manteniendo los datos locales dentro de su propia red. Los puertos de acceso son similares a los puentes, pero además pueden traducir datos de un tipo de red a otro.

Cuando los datos viajan por Internet, con frecuencia atraviesan grandes distancias, lo que puede ser un problema porque la señal que envía los datos puede debilitarse con la distancia. Para resolver el problema, los repetidores amplifican los datos a intervalos, para evitar que la señal vaya perdiendo fuerza.

Los routers tienen un papel clave en la gestión del tráfico de Internet. Su tarea es garantizar que los paquetes lleguen siempre a su destino. Si se trata de datos que se transfieren entre ordenadores que se encuentran en la misma LAN, a menudo los routers no son necesarios, puesto que la propia red puede organizar su tráfico interno. Los routers entran en juego cuando los datos se envían de una red a otra diferente. Los routers examinan los paquetes para determinar su destino. Tienen en cuenta el volumen de actividad en Internet, y envían el paquete a otro router que esté más cerca del destino final del paquete. Hablaremos de estos dispositivos más adelante en este libro.

Todo este hardware conecta las muchas redes que forman Internet. Las LAN corporativas se encuentran en el nivel más local de las redes. Las redes de nivel medio unen estas LAN entre sí utilizando líneas de teléfono de alta velocidad, Ethernet y enlaces de microondas. Una red regional es una red de nivel medio en un área geográfica. Una red de área amplia (WAN) es otro tipo de red de nivel medio. Una WAN es una estructura con muchos sitios en red conectados entre sí.

Cuando un paquete viaja de un ordenador que se encuentra en una LAN dentro de una red de nivel medio a otro ordenador situado en un punto distinto de la red de nivel medio, un router (o una serie de routers) envía el paquete a su destino. Sin embargo, si el destino se encuentra fuera de la red de nivel medio, el paquete se manda a un punto de acceso de red (NAP), desde donde se envía por el país o por el mundo en un eje central. Los ejes centrales de alta velocidad como vBNS (*very high-speed Backbone Network Services*) puede transmitir datos a una velocidad extremadamente alta, 155 megabits (millones de bits) por segundo (Mbps) o más. Incluso se están construyendo ejes centrales más rápidos que transmitirán datos a una sorprendente velocidad de 9,6 miles de millones por segundo.

Cómo se comunican las redes entre sí

1 Para que un mensaje, un archivo o cualquier otro tipo de datos viaje a través de una red, tiene que pasar por varias capas, todas diseñadas para garantizar que los datos llegan a su destino de forma intacta y precisa. La primera capa, la capa de aplicación, es la única parte del proceso que el usuario ve e incluso aquí el usuario no puede observar la mayor parte del trabajo que lleva a cabo la aplicación con el fin de preparar un mensaje para enviarlo por la red. La capa convierte los datos del mensaje en bits y les adjunta un encabezado en el que se identifican los ordenadores de envío y recepción.

CAPA FÍSICA

CAPA DE ENLACE DE DATOS

CAPA DE RED

CAPA DE TRANSPORTE

CAPA DE SESIÓN

CAPA DE PRESENTACIÓN

CAPA DE APLICACIÓN

Encabezado
Datos

Segmento
Copia

2 La capa de transporte protege los datos que se envían. Subdivide los datos en segmentos y crea pruebas de suma de control (sumas matemáticas basadas en los contenidos de los datos) que pueden utilizarse más adelante para determinar si los datos han sido codificados o no. El encabezado de transporte identifica las sumas de control de cada segmento y su posición en el mensaje.

3 La capa de presentación traduce el mensaje a un lenguaje que el ordenador receptor puede comprender (con frecuencia ASCII, una forma de codificar texto como bits). Esta capa también comprime y quizá codifica los datos. Esta capa añade otro encabezado que especifica el lenguaje así como los esquemas de compresión y codificación.

Codificador
Compresor
Traductor

4 La capa de sesión abre las comunicaciones. Determina los límites (denominados paréntesis) para el inicio y el final del mensaje y establece si el mensaje se enviará en modo semidúplex, con los ordenadores turnándose en el envío y la recepción o en modo dúplex completo, en el que los dos ordenadores envían y reciben a la vez. Los detalles de estas decisiones se colocan en un encabezado de sesión.

Obtener parámetros de comunicación

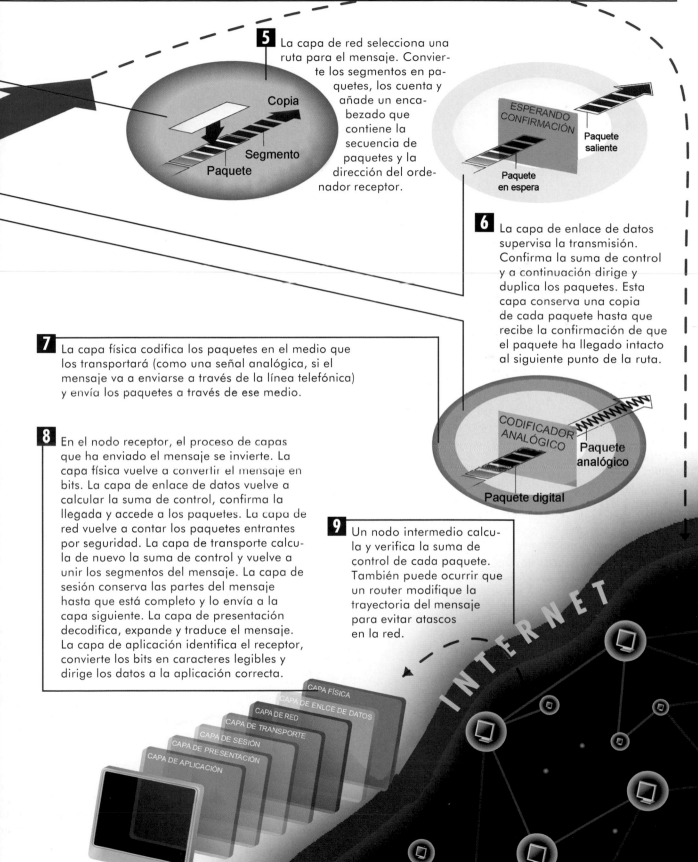

5 La capa de red selecciona una ruta para el mensaje. Convierte los segmentos en paquetes, los cuenta y añade un encabezado que contiene la secuencia de paquetes y la dirección del ordenador receptor.

Copia

Segmento

Paquete

ESPERANDO CONFIRMACIÓN

Paquete saliente

Paquete en espera

6 La capa de enlace de datos supervisa la transmisión. Confirma la suma de control y a continuación dirige y duplica los paquetes. Esta capa conserva una copia de cada paquete hasta que recibe la confirmación de que el paquete ha llegado intacto al siguiente punto de la ruta.

7 La capa física codifica los paquetes en el medio que los transportará (como una señal analógica, si el mensaje va a enviarse a través de la línea telefónica) y envía los paquetes a través de ese medio.

8 En el nodo receptor, el proceso de capas que ha enviado el mensaje se invierte. La capa física vuelve a convertir el mensaje en bits. La capa de enlace de datos vuelve a calcular la suma de control, confirma la llegada y accede a los paquetes. La capa de red vuelve a contar los paquetes entrantes por seguridad. La capa de transporte calcula de nuevo la suma de control y vuelve a unir los segmentos del mensaje. La capa de sesión conserva las partes del mensaje hasta que está completo y lo envía a la capa siguiente. La capa de presentación decodifica, expande y traduce el mensaje. La capa de aplicación identifica el receptor, convierte los bits en caracteres legibles y dirige los datos a la aplicación correcta.

CODIFICADOR ANALÓGICO

Paquete analógico

Paquete digital

9 Un nodo intermedio calcula y verifica la suma de control de cada paquete. También puede ocurrir que un router modifique la trayectoria del mensaje para evitar atascos en la red.

CAPA FÍSICA
CAPA DE ENLCE DE DATOS
CAPA DE RED
CAPA DE TRANSPORTE
CAPA DE SESIÓN
CAPA DE PRESENTACIÓN
CAPA DE APLICACIÓN

INTERNET

Cómo se conectan las redes a Internet

1 Ya sea en el trabajo o en casa, usted accede a Internet de diversas formas. Puede conectarse a una LAN en si lugar de trabajo a través de redes Ethernet y redes *token-ring*. Las redes *token-ring* transmiten los datos en *tokens* de un ordenador a otro, en una configuración en forma de anillo o de estrella. En las redes Ethernet, los datos van de un servidor al ordenador por la red. En casa, puede acceder por marcado a un ordenador de mayor tamaño conectado a Internet a través de un servicio online o un proveedor de servicios de Internet (ISP) por marcado, o puede utilizar otro tipo de servicio de Internet, como el cable módem, el módem DSL o una conexión por satélite.

Eje central vBNS

Marcado

Enlace por satélite

Servidor

Línea T1

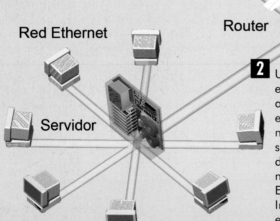

Red Ethernet

Router

Red Token-Ring

Servidor

2 Una vez que está conectado a Internet, y quiere enviar o recibir información, sus peticiones y sus datos son gestionados por routers en Internet. Estos routers llevan a cabo la mayor parte del trabajo de dirigir el tráfico en Internet. Examinan los paquetes de datos que viajan a través de Internet para ver dónde se dirigen los datos. Basándose en el destino de los datos, el paquete se dirige de la forma más eficaz, generalmente a otro router, que, a su vez, envía el paquete al router siguiente, y así sucesivamente. Los routers también conectan las redes entre sí.

Servidor

3 Los datos pueden transferirse de una red a otra de distintas formas. Las líneas de teléfono específicas pueden transmitir los datos a 56Kbps (kilobits por segundo). Un número cada vez mayor de líneas telefónicas T1 de alquiler transportan los datos entre las redes. Un enlace T1 puede transportar datos a una velocidad de 1,544Mbps. También se utilizan enlaces T3, que pueden transportar datos a 44,746Mbps. Si accede por marcado a un ISP desde casa, se puede conectar a una velocidad inferior de la de su oficina, donde quizá haya conexiones de alta velocidad como una línea T1. Sin embargo, también existen distintas opciones para conectarse a Internet desde casa, como cable módems o conexiones DSL.

4 Existen otros métodos de transferencia de datos entre redes. Se pueden utilizar satélites para enviar y recibir información, como cables de fibra óptica, líneas telefónicas RDSI (Red Digital de Servicios Integrados) y conexiones DSL de alta velocidad.

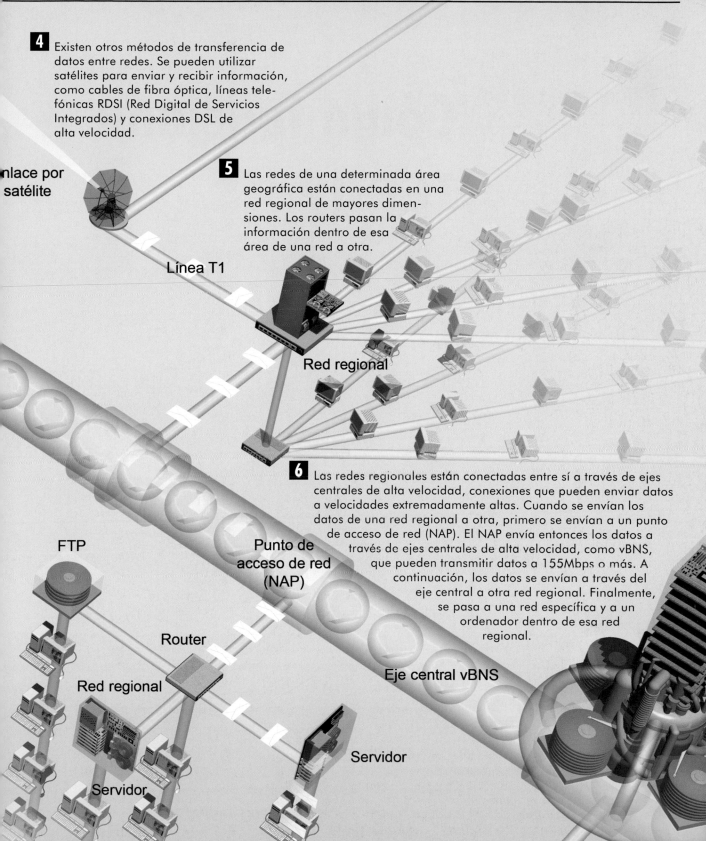

nlace por satélite

Línea T1

5 Las redes de una determinada área geográfica están conectadas en una red regional de mayores dimensiones. Los routers pasan la información dentro de esa área de una red a otra.

Red regional

6 Las redes regionales están conectadas entre sí a través de ejes centrales de alta velocidad, conexiones que pueden enviar datos a velocidades extremadamente altas. Cuando se envían los datos de una red regional a otra, primero se envían a un punto de acceso de red (NAP). El NAP envía entonces los datos a través de ejes centrales de alta velocidad, como vBNS, que pueden transmitir datos a 155Mbps o más. A continuación, los datos se envían a través del eje central a otra red regional. Finalmente, se pasa a una red específica y a un ordenador dentro de esa red regional.

FTP

Punto de acceso de red (NAP)

Router

Red regional

Eje central vBNS

Servidor

Servidor

CAPÍTULO

3

Cómo funciona TCP/IP

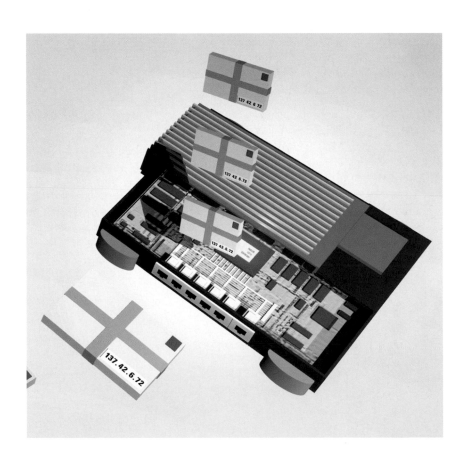

OTRO conjunto de ideas aparentemente sencillo hace posible que las redes y los ordenadores de todo el mundo compartan información y mensajes por Internet: dividir cada información y cada mensaje en partes, denominadas paquetes, entregar estos paquetes en el destino adecuado y volver a unir después los paquetes para devolverles su forma original una vez que han sido entregados, para que el ordenador receptor pueda verlos y utilizarlos. Ésa es la tarea de dos de los protocolos más importantes de Internet, TCP (Protocolo de Control de Transmisión) e IP (Protocolo de Internet). Con frecuencia se denominan TCP/IP. TCP descompone y vuelve a unir los paquetes, mientras que IP es el responsable de garantizar que los paquetes se envían al destino adecuado.

TCP/IP se utiliza porque Internet es lo que se denomina una red de conmutación de paquetes. En una red de conmutación de paquetes no existe una única conexión continua entre el emisor y el receptor. En vez de esto, cuando la información se envía se reparte en pequeños paquetes, que se transmiten por muchas rutas diferentes al mismo tiempo, y se vuelven a unir en el extremo receptor. Por el contrario, el sistema telefónico es una red de conmutación de circuitos. En una red de conmutación de circuitos, una vez que se establece la conexión (como en una llamada telefónica, por ejemplo), esa parte de la red se dedica en exclusiva a esa conexión en concreto.

Para que los ordenadores personales puedan sacarle el máximo partido a Internet, tienen que utilizar un software especial que comprenda e interprete los protocolos TCP/IP de Internet. Este software se denomina pila TCP/IP y está incorporado en todos los ordenadores que se compran, por lo que no tenemos que hacer nada especial para acceder a él. Para PC, este software se denomina Winsock. En Macintosh, el software se denomina MacTCP. En ambos casos, este software actúa como intermediario entre Internet y el ordenador personal.

Existen dos formas principales en las que un ordenador puede conectarse a Internet y utilizar después los protocolos TCP/IP: a través de una red de área local (LAN), cable módem o línea DSL o mediante marcado utilizando un módem. Para conectarse a través de una LAN, de un cable módem o de una línea DSL, un ordenador necesita una tarjeta de red. Para comunicarse con la red y con los protocolos TCP/IP de Internet, la tarjeta de red requiere un driver de hardware (software que actúa como mediador entre la red y la tarjeta de red). Sin embargo, cuando el ordenador utiliza un marcado a través de módem para acceder a Internet, el ordenador debe utilizar uno de estos dos protocolos de software: SLIP (*Serial Line Internet Protocol*) o PPP (*Point-to-Point Protocol*). Estos protocolos llevan a cabo la tarea de comunicarse con los protocolos TCP/IP de Internet.

Cómo funcionan los protocolos básicos de Internet TCP/IP

1 Internet es una red de conmutación de paquetes, lo que significa que cuando se envía información a través de Internet de un ordenador a otro, los datos se dividen en pequeños paquetes. Una serie de conmutadores denominados routers envían cada paquete por la red de forma individual. Una vez que los paquetes llegan al ordenador receptor, se vuelven a combinar para devolverlos a su forma unificada original. Existen dos protocolos que llevan a cabo la tarea de dividir los datos en paquetes, dirigir los paquetes a través de Internet y volver a unirlos posteriormente en el otro extremo: el Protocolo de Internet (IP), que dirige los datos, y el Protocolo de Control de Transmisión (TCP), que reparte los datos en paquetes y los vuelve a combinar en el ordenador que recibe la información.

TCP

21,915

14,782

IP

2 Por distintas razones, entre las que se incluyen las limitaciones de hardware, los datos que se envían a través de Internet tienen que dividirse en paquetes de menos de unos 1.500 caracteres cada uno. A cada paquete se le asigna un encabezado que contiene diversa información, como el orden en el que deberían volver a unirse los paquetes relacionados entre sí. A medida que TCP crea cada paquete, también calcula y añade al encabezado una suma de control, que es un número que TCP utiliza en el extremo receptor para determinar si se han introducido errores en el paquete durante la transmisión. La suma de control se basa en la cantidad precisa de datos incluidos en el paquete.

3 Cada paquete se coloca en un envoltorio IP independiente, que contiene información sobre la dirección que le dice a Internet dónde debe enviar los datos. Todos los envoltorios de unos datos determinados tienen la misma información de dirección, por lo que todos pueden ser enviados a la misma ubicación para poder volver a unirlos. Los envoltorios IP contienen encabezados que incluyen información como la dirección del emisor, la dirección de destino y la cantidad de tiempo que debería mantenerse el paquete antes de descartarlo, y muchos otros tipos de información.

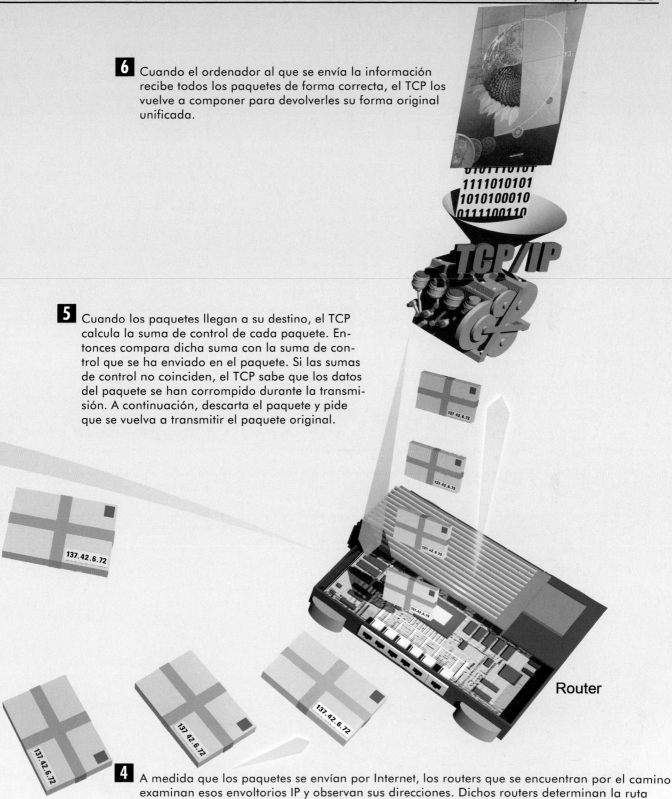

6 Cuando el ordenador al que se envía la información recibe todos los paquetes de forma correcta, el TCP los vuelve a componer para devolverles su forma original unificada.

5 Cuando los paquetes llegan a su destino, el TCP calcula la suma de control de cada paquete. Entonces compara dicha suma con la suma de control que se ha enviado en el paquete. Si las sumas de control no coinciden, el TCP sabe que los datos del paquete se han corrompido durante la transmisión. A continuación, descarta el paquete y pide que se vuelva a transmitir el paquete original.

Router

4 A medida que los paquetes se envían por Internet, los routers que se encuentran por el camino examinan esos envoltorios IP y observan sus direcciones. Dichos routers determinan la ruta más eficaz para enviar cada paquete al router siguiente que se encuentre más cerca de su destino final. Después de viajar a través de una serie de routers los paquetes llegan a su destino. Como el nivel de tráfico en Internet cambia de forma constante, los paquetes pueden enviarse a lo largo de rutas distintas, por lo que los paquetes podrían llegar estropeados.

Cómo funciona IPv6

340,282,366,920,938,463,463,374,607,431,768
Direcciones únicas

4.294.967.296 direcciones

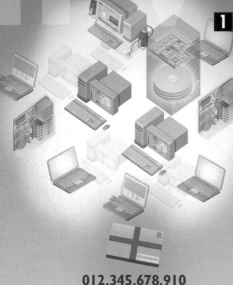

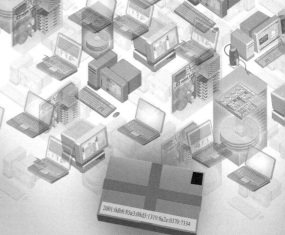

1 Como IPv4 utiliza sólo 32 bits para sus direcciones IP (denominadas espacio de dirección), el número total de direcciones IP únicas es limitado. Las direcciones IPv4 son cuatro números separados por puntos. Cada número puede llegar sólo hasta 256. Un ejemplo de una dirección IPv4 es 69.37.119.8. Cuando Internet fue diseñada por primera vez, sus creadores nunca pensaron que el espacio de dirección se llenaría, razón por la cual lo diseñaron de esa forma.

012.345.678.910

2001:0db8:85a3:08d3:1319:8a2e:0370:7

2 IPv6 aumenta el espacio de dirección de forma espectacular, porque utiliza 128 bits en lugar de 32. Cuando se adopte, habrá muchas más direcciones IP disponibles para la utilización de Internet.

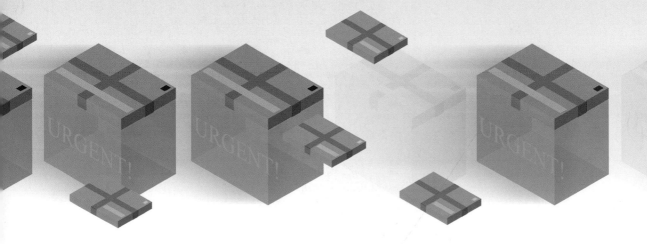

3 IPv6 ofrece otras ventajas, además de aumentar el número total de direcciones IP disponibles. Permite que las redes y los ISP (proveedores de Internet) garanticen la Calidad de Servicio (QOS) para ciertas aplicaciones, como la visualización de vídeo en directo o la realización de llamadas telefónicas utilizando el protocolo de voz sobre IP (VoIP). Una forma en la que hace esto es dando una prioridad más alta a determinados paquetes y una prioridad más baja a otros. IPv6 ofrece también nuevas capacidades de seguridad, a través de la autentificación y la encriptación, entre otras características.

4 Pasarán muchos años antes de que IPv6 sea aceptado por completo. Hasta entonces, algunos negocios y aplicaciones utilizarán IPv6, mientras el resto de Internet utilizará IPv4. Se pueden utilizar varias técnicas para permitir que IPv6 funcione con IPv4. En una de esas técnicas, denominada doble pila (*dual stack*) se pueden utilizar routers. Los routers se programan para funcionar tanto con IPv4 como con IPv6, y de esa forma se puede gestionar cada paquete de manera diferente dependiendo de la versión de IP que utilice.

5 En otra técnica, se incluyen datagramas IPv6 (información sobre cómo se dirigen los paquetes) dentro de los paquetes IPv4, y de esta forma podrán abrirse paso por Internet.

CAPÍTULO

4

Comprender la estructura del software de Internet

INTERNET funciona basándose en un modelo cliente/servidor de entrega de información. En un modelo cliente/servidor, el ordenador cliente se conecta al ordenador servidor en el que se encuentra la información; el cliente depende del servidor para entregar la información. En efecto, el cliente pide los servicios del ordenador servidor. Estos servicios pueden implicar la búsqueda de información y su envío de vuelta al cliente, como cuando se hace una búsqueda en una base de datos de la red. Otros ejemplos de estos servicios son la entrega de páginas Web y la gestión del correo entrante y saliente. Siempre que utilice Internet, está conectado a un ordenador servidor y está solicitando la utilización de esos recursos del servidor.

Normalmente, el cliente es un ordenador personal local o el software que se ejecuta en él, y el servidor (llamado también *host*) es generalmente un ordenador más potente que alberga los datos y/o el software de servidor. Los servidores y los clientes pueden ser de distintas marcas y fabricantes, y funcionar con una amplia variedad de sistemas operativos.

La conexión al servidor se hace de distintas formas: a través de una LAN (una red de área local), a través de la línea telefónica, mediante cable módem o utilizando un módem DSL, de manera inalámbrica o de cualquier otra forma, de las muchas que hay. La razón principal para configurar una red cliente/servidor es permitir que muchos clientes accedan a las mismas aplicaciones y archivos almacenados en un servidor. Estos clientes pueden ser distintos tipos de ordenadores que acceden a Internet de muchas maneras diferentes.

En el caso de la WWW de Internet, el cliente es, en realidad, el navegador de su PC, y el servidor es el ordenador *host* ubicado en algún lugar de Internet. Por lo general, el navegador envía al servidor una petición para una página Web específica. El servidor procesa la petición y envía la respuesta de nuevo al navegador (en la mayoría de los casos, en forma de página Web).

La conexión entre el cliente y el servidor se mantiene sólo durante el intercambio real de información. Así, una vez que una página Web se transfiere desde el servidor, la conexión HTTP entre el ordenador y el cliente se interrumpe. (HTTP son las siglas en ingles de Protocolo de Transferencia de Hipertexto; es el protocolo utilizado por la WWW.) Aunque la conexión HTTP se cierre, el ISP mantiene la conexión TCP/IP a Internet.

El modelo cliente/servidor permite que el PC de escritorio ejecute el software del navegador para hacer una búsqueda por la Web y que acceda a los servidores de Internet para llevar a cabo funciones de búsqueda y recuperación. Muchas de estas funciones se realizan a través de una tecnología denominada CGI (*Common Gateway Interface*; interfaz común de pasarela). En esencia, esta arquitectura permite que la Web sea considerada como un medio y una base de datos de almacenamiento ilimitado de archivos, distribuidos por miles de ordenadores servidores, todos accesibles por parte de cualquier dispositivo individual con acceso a Internet.

La ilustración que aparece a continuación muestra cómo la Web ejecuta la arquitectura cliente/servidor. Recuerde que todos los demás recursos de Internet se ejecutan también en base al modelo cliente/ servidor. Por ejemplo, en las transacciones de correo electrónico, el cliente sería el software de correo electrónico de su ordenador, mientras que el servidor sería el servidor de correo al que se conecta.

Cómo funciona la arquitectura cliente/servidor

2 Dicho ordenador ejecuta el software de servidor que permite que el servidor distinga la petición real de los paquetes y lleve a cabo los servicios requeridos. Esto implicará bien la recuperación y el reenvío de una página Web específica al PC cliente o la ejecución de una búsqueda en una base de datos y el envío del resultado en forma de página Web al cliente.

1 El software de navegador de PC controla el extremo de cliente de la aplicación Web. A través de la utilización de TCP/IP, el navegador emite peticiones HTTP al servidor. El navegador puede requerir una página Web determinada, o puede pedir que el servidor lleve a cabo una búsqueda en una base de datos. En cualquier caso, la petición se divide en paquetes HTTP que se envían a través de la infraestructura de comunicaciones TCP/IP de Internet al servidor.

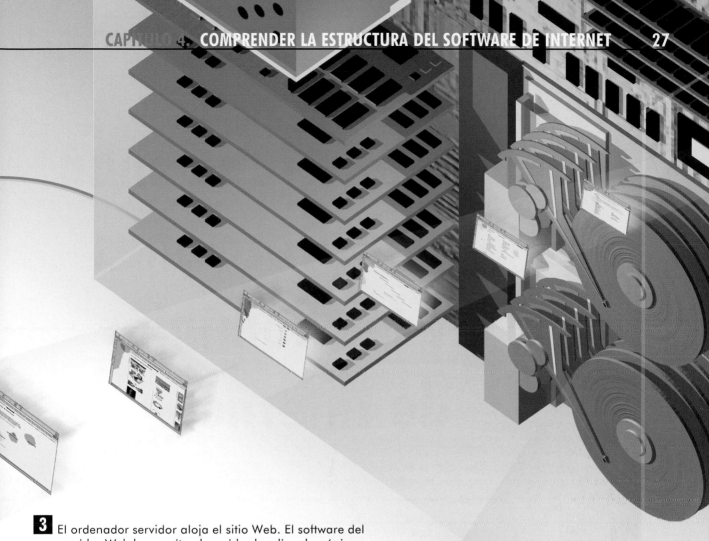

3 El ordenador servidor aloja el sitio Web. El software del servidor Web le permite al servidor localizar la página requerida y devolvérsela al cliente.

4 Una CGI (interfaz común de pasarela) controla las bases de datos y otras aplicaciones similares del servidor y proporciona el acceso a ellas. Cuando el servidor recibe la petición de una búsqueda en la base de datos, la envía a un servidor independiente, específico de base de datos, o a una aplicación para que lo procese a través de CGI.

Petición CGI

Respuesta de la base de datos

Software de servidor Web

/www.zdpress.com/index

/toc/capitulo7.html

/toc/ilustracion/cap7.gif

Aplicación CGI

Índice de la base de datos

Datos

Aplicación de la base de datos

CAPÍTULO

5

Cómo funcionan las direcciones y los dominios de Internet

EL quid de cómo funciona Internet es el sistema de nombres de dominio (DNS), la forma en la que los ordenadores pueden ponerse en contacto entre sí y llevar a cabo tareas tales como intercambiar correo electrónico o mostrar páginas Web. Cuando alguien quiere ponerse en contacto con una ubicación en Internet, por ejemplo, visitar un sitio Web, dicha persona escribe una dirección, por ejemplo, www.metahouse.com. (Una ubicación específica en Internet se denomina también localizador uniforme de recursos, o URL.) El DNS traduce la dirección en el idioma que sea, como www.metahouse.com, a una serie de números denominados dirección IP (Protocolo de Internet). Una dirección IP, como 123.23.43.121, marca la ubicación de un ordenador en Internet de forma parecida a cómo el número de casa y la calle marcan la localización del lugar donde vive.

En este ejemplo, metahouse.com es lo que se denomina un dominio. Para funcionar de forma más eficaz, Internet se ha organizado en varios dominios principales. Algunos de estos dominios son .com (comercial), .edu (educación), .gov (gobierno), .mil (militar), .net (redes y suministradores de servicios de Internet; empresas y grupos implicados en la organización de Internet) y .org (organización).

Los dominios se organizan de forma jerárquica, de manera que por debajo de los dominios principales encontramos muchos dominios secundarios. Como ejemplo de cómo funciona DNS y los dominios, considere la dirección de Internet de SPACElink de la NASA: spacelink.nasa.gov. El dominio superior es .gov, que significa gobierno. El dominio que se encuentra justo por debajo es .nasa, el dominio de la NASA. A continuación, spacelink identifica el ordenador de la NASA que ejecuta el programa SPACElink. La dirección IP numérica de SPACElink ha cambiado con el transcurso de los años, pero su dirección se ha mantenido igual.

Los ordenadores denominados servidores de nombres son los responsables de seguir la pista de dichos cambios y de traducir las direcciones IP y las direcciones de dominio. Internet no puede comprender las direcciones alfanuméricas de Internet, como ziffdavis.com, por lo que los servidores de nombres traducen estas direcciones a sus direcciones IP numéricas adecuadas, como 163.52.128.72. Los servidores de nombres contienen tablas que hacen corresponder las direcciones alfanuméricas de Internet con sus respectivas direcciones IP numéricas.

Cuando conecta su ordenador a Internet, su ordenador necesita tener una dirección IP asignada para llevar a cabo tareas comunes, tales como navegar por la Web. Dependiendo de cómo esté configurado su ordenador y de cómo funcione su proveedor de servicios, puede tener una dirección estática o una dirección dinámica. Una dirección IP estática no cambia nunca, así que, si tiene una, tendrá la misma dirección IP todas las veces que se conecte a Internet. Sin embargo, como Internet tiene sólo un número limitado de direcciones IP, muchos ISP utilizan direcciones dinámicas. Con una dirección IP dinámica, se le proporciona una dirección IP procedente de un bloque limitado de direcciones IP cada vez que se conecte. De esta forma, los ISP no necesitan tener una dirección individual para cada abonado. En vez de eso, pueden compartir su conjunto de direcciones entre todos sus abonados.

Comprender las direcciones y los dominios de Internet

1 El Protocolo de Internet (IP) entrega el correo basándose en una dirección de email específica. El dominio de la dirección se expresa con cuatro números, separados por puntos, como 163.52.128.72. Sin embargo, como sería difícil recordar unas direcciones tan complejas, puede utilizar direcciones de Internet formadas por palabras, letras y números. Los ordenadores denominados servidores de nombres de dominio traducen las direcciones alfanuméricas a una dirección numérica, de forma que el email pueda enviarse a la ubicación adecuada.

2 Una dirección de correo electrónico está formada por dos partes principales, separadas por un símbolo @ (arroba). La dirección puede darle una gran cantidad de información sobre la persona a la que pertenece dicha dirección. La primera parte de la dirección (la que aparece a la izquierda del símbolo @) es el nombre de usuario, que normalmente hace referencia a la persona que posee la cuenta de Internet y, por lo general, es el nombre de acceso (login) de dicha persona, o un nombre que la identifica de alguna forma. La segunda parte de la dirección (la que se encuentra a la derecha del símbolo @) contiene el nombre del servidor (que puede hacer referencia a un servidor específico en una red), seguida de la dirección de Internet; juntos identifican el ordenador específico en el que la persona tiene una cuenta de correo en Internet.

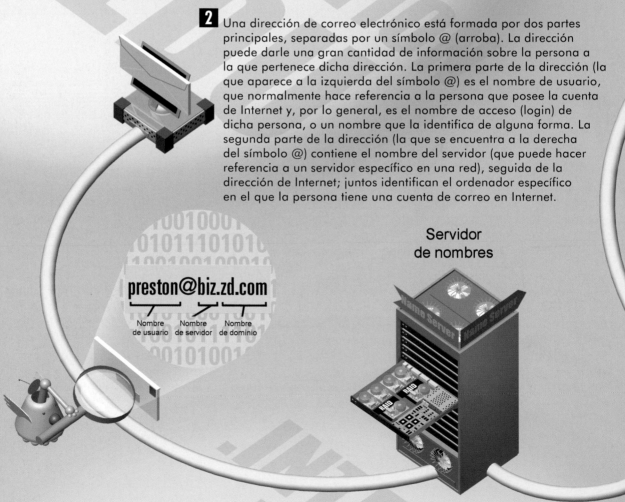

Servidor de nombres

preston@biz.zd.com

Nombre de usuario   Nombre de servidor   Nombre de dominio

3 Cuando envía un email, Internet debe conocer la dirección IP numérica, como 163.52.128.72. Los servidores de nombres buscan las direcciones alfanuméricas y las sustituyen por la dirección IP numérica correspondiente, de forma que se pueda enviar el correo electrónico de la manera correcta.

4 El sistema de nombres de dominio (DNS) divide Internet en grupos comprensibles, denominados dominios. El área de la sección de dominio se encuentra en el extremo derecho de la dirección. Esta área identifica los nombres de los dominios más importantes y el tipo de organización en el que reside la dirección de la persona.

5 A la izquierda del dominio más importante se encuentra información específica sobre la organización, que le indica a los routers a qué red debería enviarse el email. Puede ser una única dirección de Internet, como nasa.gov, o puede ser un grupo de dominios o subdominios, como spacelink.nasa.gov.

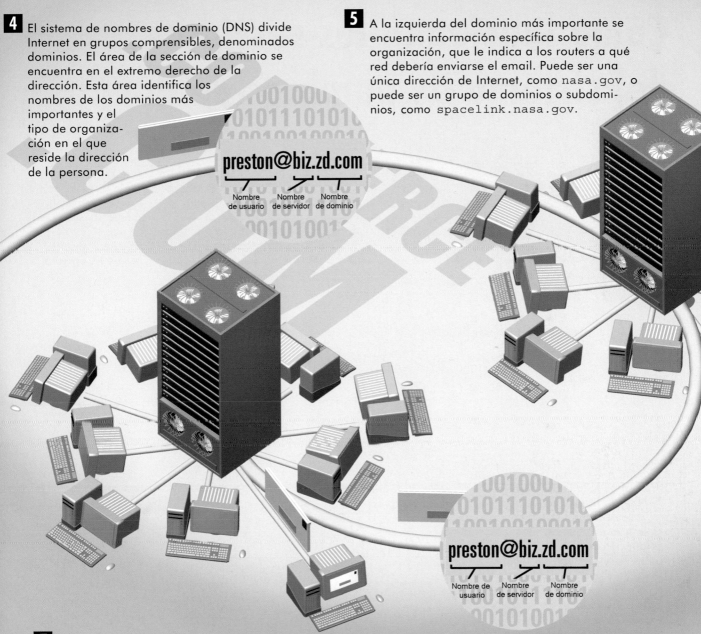

preston@biz.zd.com

Nombre de usuario | Nombre de servidor | Nombre de dominio

preston@biz.zd.com

Nombre de usuario | Nombre de servidor | Nombre de dominio

7 El dominio y el nombre de servidor informan a Internet del ordenador en el que debe entregar el email. El ordenador servidor receptor comprueba el nombre de usuario y entrega el correo electrónico en el buzón de email adecuado.

6 A la izquierda de la dirección de Internet se encuentra el nombre de servidor, que le indica a los routers a qué ordenador específico dentro del dominio debería dirigirse el email.

Cómo funcionan los servidores del sistema de nombres de dominio

www.zdp.com

1 Cuando se necesita contactar con un URL (localizador uniforme de recursos), la dirección del URL debe coincidir con la dirección IP real. Su navegador Web se dirige primero a un servidor de nombres local mantenido por su ISP, por un servicio online o por una empresa para conseguir esta información. Si la dirección IP es local (es decir, se encuentra en la misma red en la que está usted) el servidor de nombres puede resolver el URL con la dirección IP. Enviará la dirección IP real a su ordenador.

Navegador Web

3 Si la información que ha pedido no se encuentra en un área local, el servidor de nombres local podría no tener la dirección que usted está buscando. En ese caso, dicho servidor debe obtener dicha información de un servidor de nombres que se encuentre en Internet. El servidor de nombres local se pone en contacto con el servidor de dominios principal. Este servidor principal le indica al servidor local qué servidores de nombres primarios y secundarios contienen la información del URL requerido.

www.zdp.com

Sí www.zdp.com
123.333.29.8

Servidor de
nombres de
Internet
(InterNIC)

InterNI

Servidor de
nombres
Intranet

Sitio Web

www.zdp.com

2 Su navegador Web tiene ahora la dirección IP real del lugar que está tratando de localizar. El navegador utiliza esa dirección IP y contacta con el sitio. Entonces, el sitio le envía la información que había solicitado.

www.zdp.com
123.333.29.8

4 El servidor de nombres local se pone entonces en contacto con el servidor de nombres primario. Si la información no se encuentra en el servidor de nombres primario, el servidor local se pone en contacto con el servidor de nombres secundario. Uno de esos servidores de nombres contendrá la información adecuada. A continuación, ese servidor le envía la información al servidor de nombres local.

Envíalo

www.zdp.com
123.333.29.8

5 El servidor de nombres local le reenvía la información a usted. Su navegador Web utilizará en ese momento la dirección IP para ponerse en contacto con el sitio adecuado.

Servidor de
nombres
Intranet

Cómo funcionan las direcciones IP estáticas y dinámicas

1 Cuando se conecta a Internet, su ordenador debe identificarse a través de un número denominado dirección IP. Existen dos métodos diferentes para asignar direcciones IP: de forma estática o de forma dinámica. Cuando tiene una dirección IP estática, su ordenador mantiene la misma dirección IP cada vez que se conecta a Internet. Por el contrario, las direcciones dinámicas se asignan cada vez que se conecte a Internet.

DHCPDISCOVER

pgralla
mac: 11-37-78-D1-C8-00

DHCPREQUEST

Vale, cogeré 137.13.7.14

4 El servidor DHCP emite una respuesta, lo que se denomina un paquete DHCPOFFER. El paquete contiene un número de direcciones IP reservadas, junto con otras informaciones, entre las que se incluye la dirección IP del servidor DHCP.

5 Su ordenador recibe el paquete DHCPOFFER, accede a aceptar la dirección IP reservada, y envía un paquete DHCPREQUEST al servidor. En ese punto, su ordenador todavía no tiene la dirección IP procedente del servidor; su ordenador está enviando el paquete de petición DHCPREQUEST para decirle al servidor que le gustaría utilizar la dirección reservada.

DHCPOFFER

132.13.7.04

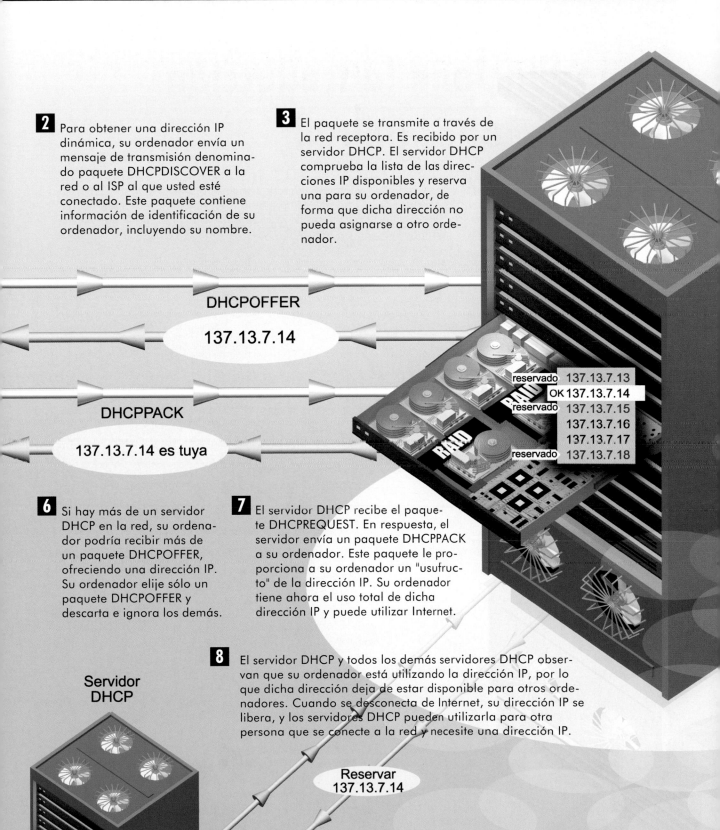

2 Para obtener una dirección IP dinámica, su ordenador envía un mensaje de transmisión denominado paquete DHCPDISCOVER a la red o al ISP al que usted esté conectado. Este paquete contiene información de identificación de su ordenador, incluyendo su nombre.

3 El paquete se transmite a través de la red receptora. Es recibido por un servidor DHCP. El servidor DHCP comprueba la lista de las direcciones IP disponibles y reserva una para su ordenador, de forma que dicha dirección no pueda asignarse a otro ordenador.

DHCPOFFER

137.13.7.14

DHCPPACK

137.13.7.14 es tuya

reservado	137.13.7.13
OK	137.13.7.14
reservado	137.13.7.15
	137.13.7.16
	137.13.7.17
reservado	137.13.7.18

6 Si hay más de un servidor DHCP en la red, su ordenador podría recibir más de un paquete DHCPOFFER, ofreciendo una dirección IP. Su ordenador elije sólo un paquete DHCPOFFER y descarta e ignora los demás.

7 El servidor DHCP recibe el paquete DHCPREQUEST. En respuesta, el servidor envía un paquete DHCPPACK a su ordenador. Este paquete le proporciona a su ordenador un "usufructo" de la dirección IP. Su ordenador tiene ahora el uso total de dicha dirección IP y puede utilizar Internet.

8 El servidor DHCP y todos los demás servidores DHCP observan que su ordenador está utilizando la dirección IP, por lo que dicha dirección deja de estar disponible para otros ordenadores. Cuando se desconecta de Internet, su dirección IP se libera, y los servidores DHCP pueden utilizarla para otra persona que se conecte a la red y necesite una dirección IP.

Servidor DHCP

Reservar
137.13.7.14

Cómo funciona la traducción de direcciones de red

1 Los ordenadores y los dispositivos que se conectan a Internet necesitan tener una dirección IP única para llevar a cabo tareas sencillas, como navegar por la Web. Pero Internet ha crecido de forma tan considerable desde que se inventó que no hay direcciones IP suficientes para poder funcionar. Con el fin de resolver este problema, se utiliza la tradución de direcciones de red (NAT, *Network Address Translation*), que tiene la ventaja añadida de proteger los ordenadores que se encuentran dentro de una red. En una red doméstica, un router doméstico es el encargado de realizar esta traducción de direcciones de red.

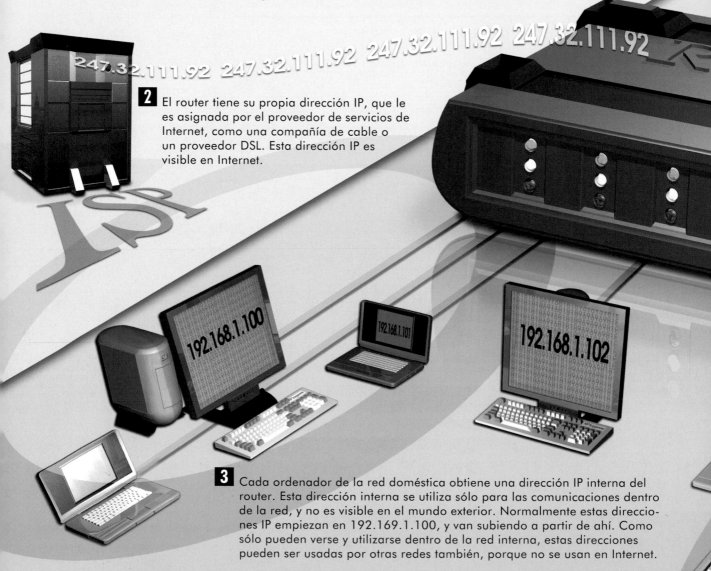

2 El router tiene su propia dirección IP, que le es asignada por el proveedor de servicios de Internet, como una compañía de cable o un proveedor DSL. Esta dirección IP es visible en Internet.

3 Cada ordenador de la red doméstica obtiene una dirección IP interna del router. Esta dirección interna se utiliza sólo para las comunicaciones dentro de la red, y no es visible en el mundo exterior. Normalmente estas direcciones IP empiezan en 192.169.1.100, y van subiendo a partir de ahí. Como sólo pueden verse y utilizarse dentro de la red interna, estas direcciones pueden ser usadas por otras redes también, porque no se usan en Internet.

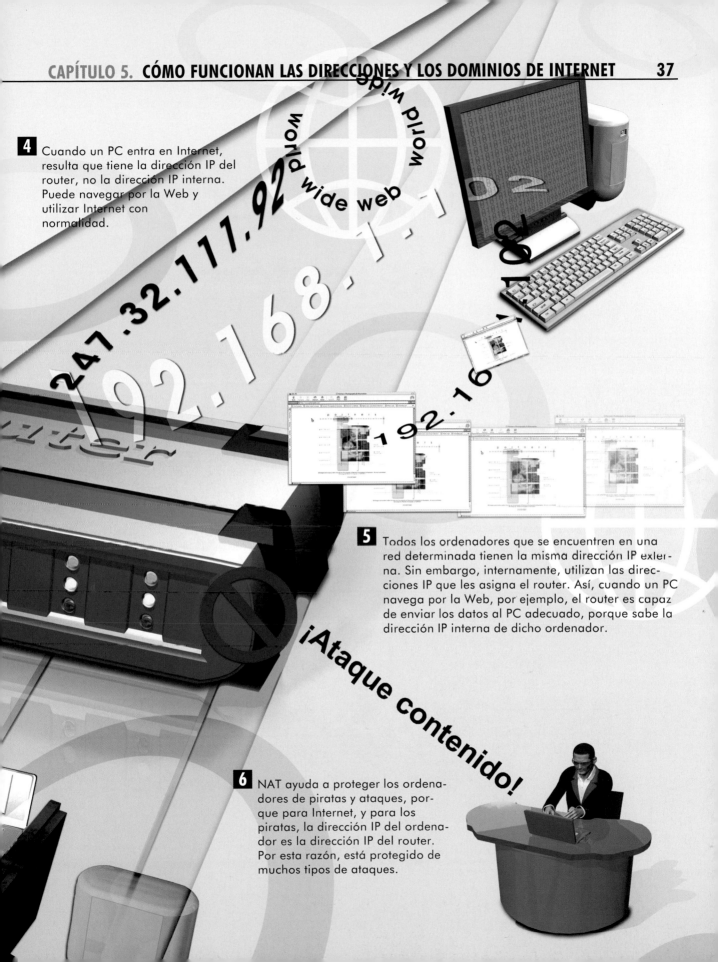

4 Cuando un PC entra en Internet, resulta que tiene la dirección IP del router, no la dirección IP interna. Puede navegar por la Web y utilizar Internet con normalidad.

5 Todos los ordenadores que se encuentren en una red determinada tienen la misma dirección IP exter-na. Sin embargo, internamente, utilizan las direc-ciones IP que les asigna el router. Así, cuando un PC navega por la Web, por ejemplo, el router es capaz de enviar los datos al PC adecuado, porque sabe la dirección IP interna de dicho ordenador.

¡Ataque contenido!

6 NAT ayuda a proteger los ordena-dores de piratas y ataques, por-que para Internet, y para los piratas, la dirección IP del ordena-dor es la dirección IP del router. Por esta razón, está protegido de muchos tipos de ataques.

CAPÍTULO

6

Cómo funcionan los routers

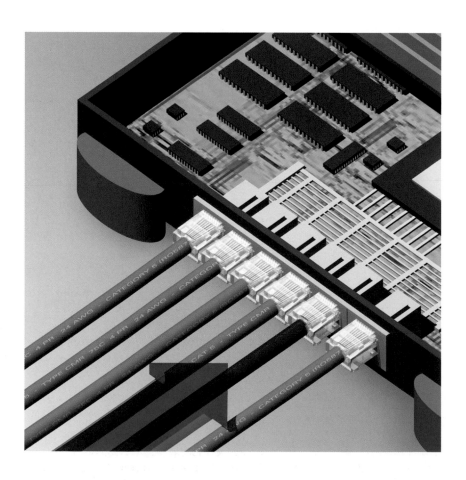

LOS routers son los policías encargados del tráfico en Internet. Garantizan que todos los datos lle-gan al lugar al que se supone que deben llegar utilizando el trayecto más eficaz. Cuando se sienta delante de su ordenador, se conecta a Internet y envía o recibe datos, normalmente esa información debe pasar primero por, al menos, un router, y con frecuencia más de uno, antes de llegar a su desti-no final.

Los routers abren los paquetes IP de datos para leer las direcciones de destino, planificar la mejor ruta y enviar después el paquete a su destino final. Si la dirección está en la misma red que el ordenador emisor, como, por ejemplo, dentro de una empresa, el router envía el paquete directamente al orde-nador de destino. Si el paquete se dirige a un destino fuera de la red local, el router envía el paquete a otro router que se encuentre más cerca del destino. Dicho router, a su vez, envía el paquete a otro router que se encuentra todavía más cerca, y así sucesivamente, hasta que el paquete llega a su desti-no final.

A la hora de determinar cuál será el router siguiente que recibirá los paquetes, los routers tienen en cuenta factores como la congestión del tráfico y el número de saltos (routers o pasarelas que se en-cuentran en un trayecto determinada). El paquete IP transporta un segmento que contiene el número máximo de saltos por los que puede viajar, y el router no utilizará una ruta que exceda ese número de saltos predefinido.

Los routers tiene dos o más puertos físicos: los puertos de recepción (entrada) y los puertos de envío (salida). Cuando un puerto de entrada recibe un paquete, se ejecuta una rutina de software denomina-da proceso de enrutamiento. Este proceso analiza la información de encabezado del paquete IP y encuentra la dirección a la que se están enviando los datos. A continuación, compara esta dirección con una base de datos interna denominada tabla de enrutamiento. La tabla de enrutamiento contiene información detallada sobre los puertos a los que deberían enviarse los paquetes con las distintas direcciones IP. Basándose en lo que encuentra en la tabla de enrutamiento, el router envía el paquete a un puerto de salida específico. Este puerto de salida envía entonces los datos al siguiente router o al propio destino.

Existen dos tipos de tablas de enrutamiento: tablas de enrutamiento estáticas y tablas de enrutamiento dinámicas. La tabla estática es más sencilla, y especifica rutas determinadas para que las utilicen los paquetes con el fin de llegar a su destino final. La tabla dinámica permite que un paquete tenga múl-tiples rutas para llegar a su destino.

En ocasiones, los paquetes se envían a un puerto de entrada de un router más rápidamente de lo que el puerto puede procesarlos. Cuando esto ocurre, los paquetes se envían a un área de espera especial denominada cola de entrada, que se encuentra en el área de RAM del router. Esa cola de entrada específica está asociada con un determinado puerto de entrada. Un router puede tener más de una cola de entrada. Cada puerto de entrada procesa los paquetes de la cola en el orden en el que se han recibido, así que los primeros paquetes enviados serán los primeros en procesarse y en enviarse a su destino.

Si el número de paquetes recibido excede la capacidad de la cola, los paquetes podrían perderse. Cuando esto ocurre, el protocolo TCP de los ordenadores emisores y receptores hace que vuelvan a enviarse los paquetes.

Observe que el router que aparece en la siguiente ilustración es del tipo de los que envía los datos a través de Internet, que no es lo mismo que un router doméstico que constituye la base de una red doméstica. Hablaremos de cómo funcionan los routers domésticos más adelante en este libro.

Cómo envían los routers los datos a su destino

1 Un router tiene puertos de entrada para recibir paquetes IP y puertos de salida para enviar esos paquetes a sus destinos. Cuando un paquete llega a un puerto de entrada, el router examina el encabezado del paquete y comprueba el destino que aparece en él comparándolo con una tabla de enrutamiento, una base de datos que le dice al router cómo enviar paquetes a distintos destinos.

Tabla de enrutamiento dinámica

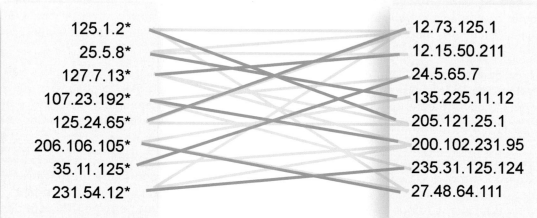

125.1.2*	12.73.125.1
25.5.8*	12.15.50.211
127.7.13*	24.5.65.7
107.23.192*	135.225.11.12
125.24.65*	205.121.25.1
206.106.105*	200.102.231.95
35.11.125*	235.31.125.124
231.54.12*	27.48.64.111

5 El enrutamiento dinámico es más útil que el estático. Permite que cada paquete tenga múltiples rutas para llegar a su destino final. El enrutamiento dinámico también ofrece la posibilidad de que los routers cambien la forma en la que dirigen la información basándose en la cantidad de tráfico de red que haya en algunos trayectos y routers. En el enrutamiento dinámico, la tabla de enrutamiento se denomina tabla de enrutamiento dinámica y cambia a medida que varían las condiciones en la red. Hay protocolos de enrutamiento que construyen tablas dinámicamente, modificándolas constantemente según el tráfico y las condiciones en la red.

6 Existen dos tipos principales de protocolos de enrutamiento: interior y exterior. Los protocolos de enrutamiento interior se utilizan normalmente sólo en los routers que forman parte de la intranet de una empresa o de una red interna. Estos protocolos de enrutamiento interior dirigen exclusivamente el tráfico cuyo destino se encuentra en el interior de una intranet. Un protocolo de enrutamiento interior común es el denominado Protocolo de información de enrutamiento (RIP). Los protocolos exteriores se utilizan generalmente para routers ubicados en Internet. Un protocolo de enrutamiento exterior común es el denominado Protocolo de pasarela exterior (EGP).

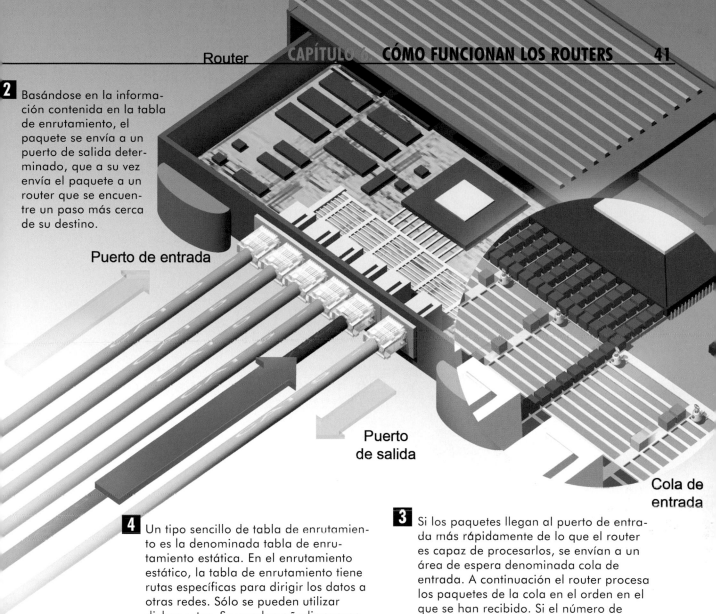

2 Basándose en la información contenida en la tabla de enrutamiento, el paquete se envía a un puerto de salida determinado, que a su vez envía el paquete a un router que se encuentre un paso más cerca de su destino.

Puerto de entrada

Puerto de salida

Cola de entrada

4 Un tipo sencillo de tabla de enrutamiento es la denominada tabla de enrutamiento estática. En el enrutamiento estático, la tabla de enrutamiento tiene rutas específicas para dirigir los datos a otras redes. Sólo se pueden utilizar dichas rutas. Se pueden añadir nuevas rutas a la tabla de enrutamiento; sin embargo, el enrutamiento estático no puede ajustar las rutas a medida que cambie el tráfico de la red, por lo que no es una alternativa óptima para muchos routers.

3 Si los paquetes llegan al puerto de entrada más rápidamente de lo que el router es capaz de procesarlos, se envían a un área de espera denominada cola de entrada. A continuación el router procesa los paquetes de la cola en el orden en el que se han recibido. Si el número de paquetes que se han recibido excede la longitud de la cola, los paquetes podrían perderse. Cuando esto ocurre, el protocolo TCP de los ordenadores emisores y receptores volverá a enviar los paquetes.

Tabla de enrutamiento estática

125.1.2*	12.73.125.1
25.5.8*	12.15.50.211
127.7.13*	24.5.65.7
107.23.192*	135.225.11.12
125.24.65*	205.121.25.1
206.106.105*	200.102.231.95
35.11.125*	235.31.125.124
231.54.12*	27.48.64.111

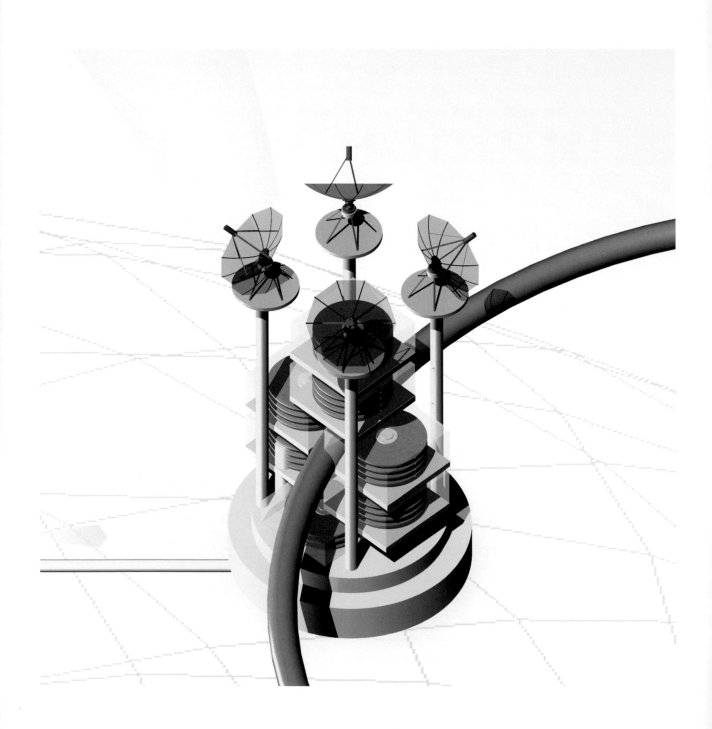

2

Conectarse a Internet

EXISTEN muchas formas de conectarse a Internet, y muchas más que aparecen prácticamente todos los días. Van desde las sencillas conexiones telefónicas por marcado al cable de alta velocidad y las líneas DSL, pasando por las conexiones por satélite, las conexiones por TV, las conexiones inalámbricas, las conexiones en el trabajo y en casa a través de redes de área local (LAN) e incluso conexiones a través de teléfonos móviles. Esta parte del libro analiza la gran cantidad de métodos que utiliza la gente y los ordenadores para conectarse a Internet.

Hay una regla general que es siempre cierta en lo que se refiere a conexiones de Internet: cuanto más rápidas, mejor. La gente quiere tener la conexión más rápida posible porque hay muchas imágenes, sonidos y vídeos disponibles en Internet. Hoy en día, las tres formas más comunes para conectarse a Internet son: a través de una LAN corporativa o universitaria, en casa a través de un cable módem o un módem DSL, o utilizando líneas telefónicas.

No obstante, las conexiones inalámbricas a través del estándar de red WiFi son cada vez más importantes. Las conexiones directas a través de LAN son generalmente las más rápidas, seguidas por los cable módems y los módems DSL; las conexiones a través de línea telefónica son las más lentas. Los cable módems, los módems DSL y las conexiones por LAN proporcionan conexiones de muy alta velocidad, y se conocen como conexiones de banda ancha.

Esta sección del libro examina las distintas formas en las que los ordenadores pueden conectarse a Internet. El capítulo 7, "Cómo se conectan los ordenadores a Internet", nos ofrece una perspectiva general de los tipos de conexiones a Internet disponibles. No sólo examinaremos los distintos tipos de conexiones de red y conexiones por línea telefónica, también hablaremos de las novedosas conexiones DSL de alta velocidad.

El capítulo 8, "Cómo funcionan las conexiones entre Internet y la televisión", trata de lo que puede convertirse en una de las formas más importantes que muchos de nosotros utilizaremos para conectarnos a Internet, a través de conexiones por televisión. En este capítulo veremos cómo funcionan los cable módems, y analizaremos una nueva tecnología, la TV mejorada con Internet, que añade interactividad a su aparato de televisión y hará que su experiencia en Internet sea más completa. También hablaremos de lo que algunos creen que es el futuro de Internet y la televisión, IPTV.

El capítulo 9, "Cómo funcionan las conexiones inalámbricas y los WiFi", trata de algunas de las formas en las que podemos conectarnos a Internet sin necesidad de utilizar cables. La antena parabólica, muy parecida a la que utilizamos para la televisión por satélite, y los teléfonos móviles son dos de las más utilizadas. Pero la conexión inalámbrica más común de todas se denomina WiFi, una estándar que le permite conectarse a Internet sin cables en casa, en el trabajo, y en muchos lugares públicos que ofrecen esta conexión a través de una zona de cobertura WiFi (*hot spots*). Un portátil o un PC equipado con un adaptador de red inalámbrico puede acceder a Internet sin estar físicamente conectado a la red; los routers WiFi son los encargados de realizar dicha conexión.

El capítulo 10, "Cómo funcionan las redes domésticas" examina un fenómeno que está creciendo con enorme rapidez: conectarse a Internet desde casa. Muchos hogares tienen en la actualidad más de un ordenador, y los usuarios desean poder compartir una sola conexión de alta velocidad, como el cable o un módem DSL. Las conexiones domésticas hacen que esto sea posible. Además, cada vez es más común que haya otros dispositivos de la casa conectados a Internet aparte de los ordenadores; hablaremos de esto también en este capítulo.

Como comprobará en esta parte del libro, conectarse a Internet es cada vez más sencillo y las conexiones son cada vez más rápidas. No sólo puede llevar a cabo tareas más rápidamente en Internet,
además, puede acceder a servicios completamente novedosos que incluyen vídeo, animación y otros
contenidos de banda ancha. Y, como cada vez más sitios instalan hardware inalámbrico, se puede
acceder a Internet desde cualquier lugar, no sólo cuando se encuentra sentado delante de su ordenador conectado a una red o a una línea telefónica.

CAPÍTULO

7

Cómo se conectan los ordenadores a Internet

EXISTEN muchas formas diferentes para que su ordenador pueda conectarse a Internet, desde las conexiones por marcado a las LAN (redes de área local) pasando por las conexiones inalámbricas, las conexiones que se llevan a cabo a través de los cables de la televisión o las conexiones DSL que utilizan cables telefónicos pero que le proporcionan una conexión a alta velocidad.

Hubo un tiempo en el que la mayoría de la gente se conectaba a Internet a través de lo que cada vez se considera una forma más anticuada, un módem por marcado. Normalmente, cuando utiliza el módem para conectarse a Internet, accede por marcado a un proveedor de servicios de Internet (ISP), por ejemplo EarthLink. Cuando marca y se conecta a su ISP, en realidad lo que está haciendo es conectarse a un módem enchufado a un ordenador más potente denominado servidor. Los ISP tienen por lo general bancos de cientos o de miles de módems que aceptan las peticiones por marcado procedentes de los abonados que están intentando conectarse. Los módems están controlados por su ordenador y por el software de comunicaciones a través de una serie de comandos, denominados conjunto de comandos AT (también conocidos como comandos Hayes, por uno de los fabricantes originales de módems, Hayes). Se trata de un lenguaje que le indica al módem qué es lo que tiene que hacer en los diversos puntos de una sesión de comunicación, como abrir una línea y enviar tonos que el sistema telefónico pueda comprender.

Pero existe un problema de gran importancia a la hora de conectarse de esta forma: la conexión es demasiado lenta como para ser de alguna utilidad. Los sitios Web utilizan muchos gráficos y características multimedia, y las conexiones por marcado son tan lentas que la Web puede parecer inservible.

Las conexiones denominadas de banda ancha son mucho más rápidas que las que se llevan a cabo a través de marcado. Conexión de banda ancha es un término genérico que hace referencia a una conexión de alta velocidad a Internet, en particular los cable módems y las conexiones DSL.

Existen varios tipos de tecnologías DSL disponibles, pero todas funcionan según los mismos principios. Le permiten utilizar líneas telefónicas existentes para acceder a Internet a velocidades mucho más altas.

Las tecnologías DSL necesitan que se utilicen módems DSL en cada los dos extremos de la línea telefónica. De hecho, el término DSL no se refiere realmente a una línea telefónica, porque se puede utilizar una línea de teléfono de cobre existente para DSL. Se refiere a los propios módems DSL. Lo que todavía es más confuso es que los módems DSL no son módems tradicionales en absoluto. No se conectan al puerto serie, como los módems tradicionales. Y no marcan en su teléfono, como hacen los módems tradicionales. En vez de esto, lo que hacen estos módems es conectarse a su ordenador a través de un puerto de mucha más alta velocidad, un puerto Ethernet o un puerto USB, y mantienen una conexión continua en su línea telefónica. En consecuencia, siempre tiene conexión a Internet cuando están conectados a su PC y encendidos.

La tecnología DSL tiene un inconveniente: necesita que su casa (y su módem DSL) esté ubicada a una cierta distancia de la compañía telefónica y de su módem DSL. En las ciudades, esto no debería ser un problema, pero sí puede serlo en áreas rurales. La distancia requerida exactamente depende del tipo de servicio DSL y de su velocidad. Cuanto más cerca esté de la compañía telefónica mayor será la velocidad.

Conectar su ordenador a Internet

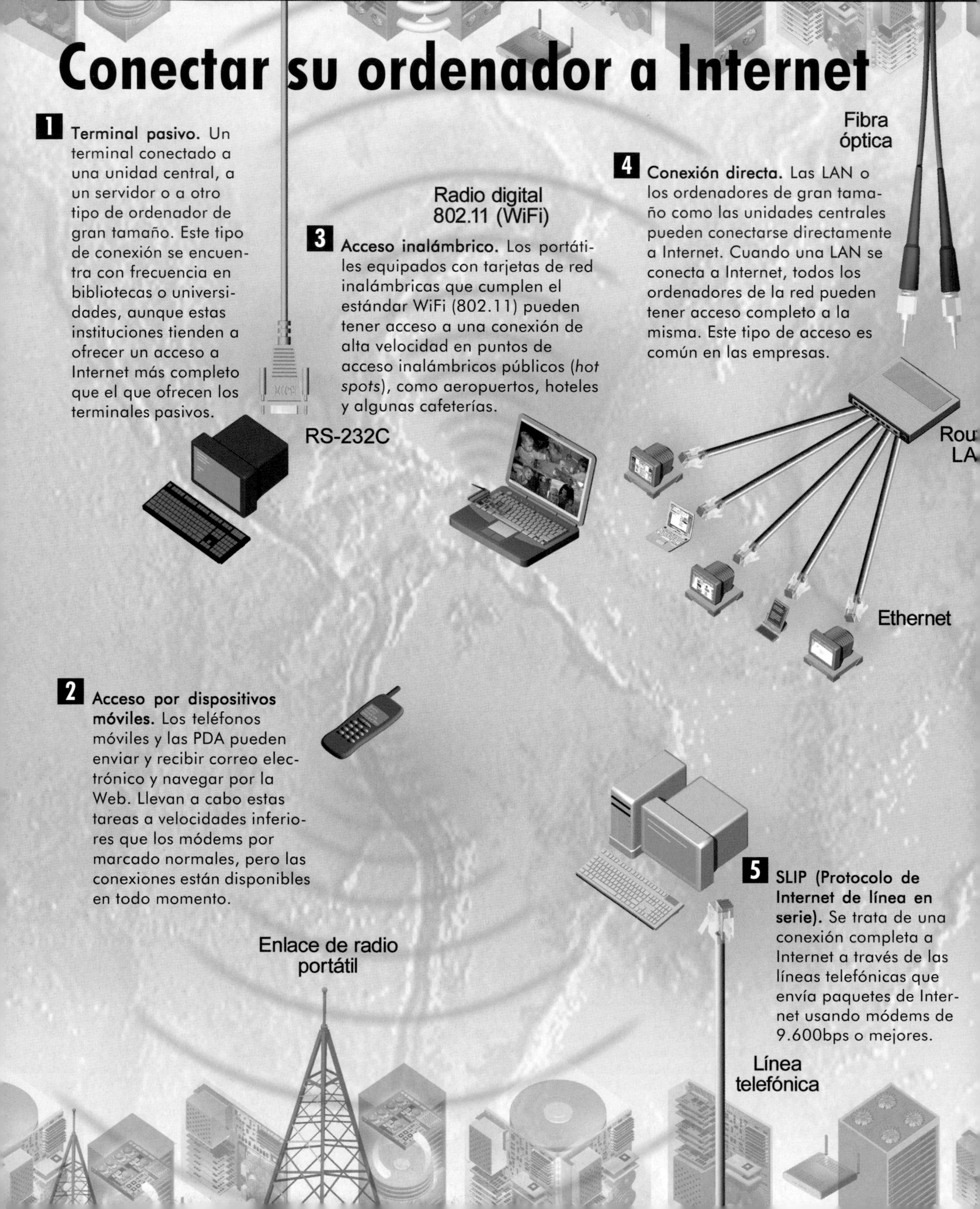

1 **Terminal pasivo.** Un terminal conectado a una unidad central, a un servidor o a otro tipo de ordenador de gran tamaño. Este tipo de conexión se encuentra con frecuencia en bibliotecas o universidades, aunque estas instituciones tienden a ofrecer un acceso a Internet más completo que el que ofrecen los terminales pasivos.

Radio digital 802.11 (WiFi)

3 **Acceso inalámbrico.** Los portátiles equipados con tarjetas de red inalámbricas que cumplen el estándar WiFi (802.11) pueden tener acceso a una conexión de alta velocidad en puntos de acceso inalámbricos públicos (*hot spots*), como aeropuertos, hoteles y algunas cafeterías.

RS-232C

Fibra óptica

4 **Conexión directa.** Las LAN o los ordenadores de gran tamaño como las unidades centrales pueden conectarse directamente a Internet. Cuando una LAN se conecta a Internet, todos los ordenadores de la red pueden tener acceso completo a la misma. Este tipo de acceso es común en las empresas.

Rou
LA

Ethernet

2 **Acceso por dispositivos móviles.** Los teléfonos móviles y las PDA pueden enviar y recibir correo electrónico y navegar por la Web. Llevan a cabo estas tareas a velocidades inferiores que los módems por marcado normales, pero las conexiones están disponibles en todo momento.

Enlace de radio portátil

5 **SLIP (Protocolo de Internet de línea en serie).** Se trata de una conexión completa a Internet a través de las líneas telefónicas que envía paquetes de Internet usando módems de 9.600bps o mejores.

Línea telefónica

7 **Líneas DSL.** Las conexiones telefónicas digitales, denominadas DSL, pueden utilizarse para conectarse a Internet a velocidades más altas. Se necesitan módems DSL para poder llevar a cabo conexiones DSL.

Línea telefónica

9 **Web TV.** También puede acceder a Internet directamente desde su televisor utilizando un decodificador que lleva a cabo el marcado para acceder a Internet y a continuación muestra las páginas Web en su televisor. Asimismo, puede utilizar antenas parabólicas similares a las antenas parabólicas utilizadas en la televisión por satélite para acceder a Internet.

Línea telefónica

TV

6 **PPP (Protocolo punto a punto).** Similar a SLIP, se trata de una conexión completa a Internet por medio de líneas telefónicas vía módem. Es más fiable que SLIP porque lleva a cabo una doble comprobación para garantizar que los paquetes de Internet llegan intactos a su destino. Reenvía los paquetes que están defectuosos.

8 **Cable módem.** Se puede accede a Internet a través de algunos sistemas de televisión por cable utilizando el cable coaxial que transporta las señales de televisión. Es necesario utilizar un cable módem especial. Los cable módems son capaces de enviar y recibir datos a velocidades de entre 20-100 veces más altas que las que ofrecen los módems tradicionales.

10 **Servicios online.** Todos los servicios online más importantes le permiten acceder a todo el potencial de Internet. No se requiere ninguna configuración especial. Cuando accede al servicio online, puede utilizar los recursos de Internet, incluyendo la navegación por la WWW.

Línea telefónica

Cable coaxial

Servicio online

Línea telefónica

Cómo realiza el módem la conexión

2 El módem marca un número, y un módem que se encuentra en el otro extremo responde a la llamada. Cuando el módem receptor responde la llamada, su módem envía un tono para informar al módem receptor de que es otro módem el que está realizando la llamada.

1 Los módems están controlados por software incluido en su ordenador utilizando un lenguaje denominado conjunto de comandos Hayes o AT. Cuando se va a marcar en un módem, el primer comando es indicarle que abra una conexión con la línea telefónica. Después de esto, un comando le dice al módem que marque un número de teléfono para establecer la conexión.

Soy un módem

¡Yo también!

¡Conectar!

Módem

3 El módem receptor, a su vez, responde con sus propios tonos, y se establece una conexión básica. Los módems proceden entonces a intercambiar información sobre cómo van enviarse los datos de uno a otro, un proceso denominado protocolo de intercambio (*handshake*). En el transcurso de este protocolo de intercambio, los módems se ponen de acuerdo en temas tales como la velocidad de comunicación así como en si utilizarán lo que se denomina bit de paridad para comprobar si se dan errores durante las comunicaciones.

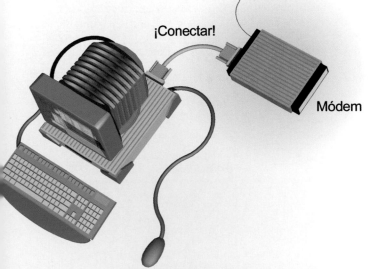

6 Las señales analógicas llegan al módem receptor, donde éste las transforma (demodula) de nuevo en datos digitales, y las envía al ordenador a través del puerto serie. Este proceso de modulación y demodulación de los datos es lo que le proporciona al módem su nombre: MOdular/DEModular.

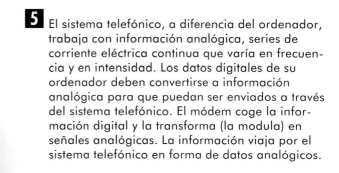

4 Una vez establecida la comunicación, los módems pueden empezar a intercambiar datos. Su ordenador trabaja con datos digitales, bits binarios de información que están activados o desactivados. Su ordenador envía estos datos binarios para que le sean comunicados al módem.

5 El sistema telefónico, a diferencia del ordenador, trabaja con información analógica, series de corriente eléctrica continua que varía en frecuencia y en intensidad. Los datos digitales de su ordenador deben convertirse a información analógica para que puedan ser enviados a través del sistema telefónico. El módem coge la información digital y la transforma (la modula) en señales analógicas. La información viaja por el sistema telefónico en forma de datos analógicos.

Cómo lleva a cabo DSL su conexión de alta velocidad

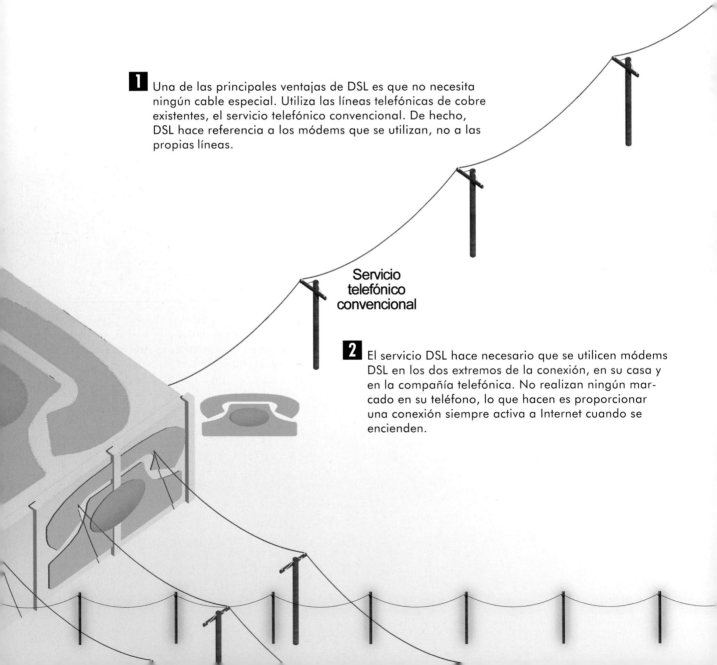

1 Una de las principales ventajas de DSL es que no necesita ningún cable especial. Utiliza las líneas telefónicas de cobre existentes, el servicio telefónico convencional. De hecho, DSL hace referencia a los módems que se utilizan, no a las propias líneas.

Servicio telefónico convencional

2 El servicio DSL hace necesario que se utilicen módems DSL en los dos extremos de la conexión, en su casa y en la compañía telefónica. No realizan ningún marcado en su teléfono, lo que hacen es proporcionar una conexión siempre activa a Internet cuando se encienden.

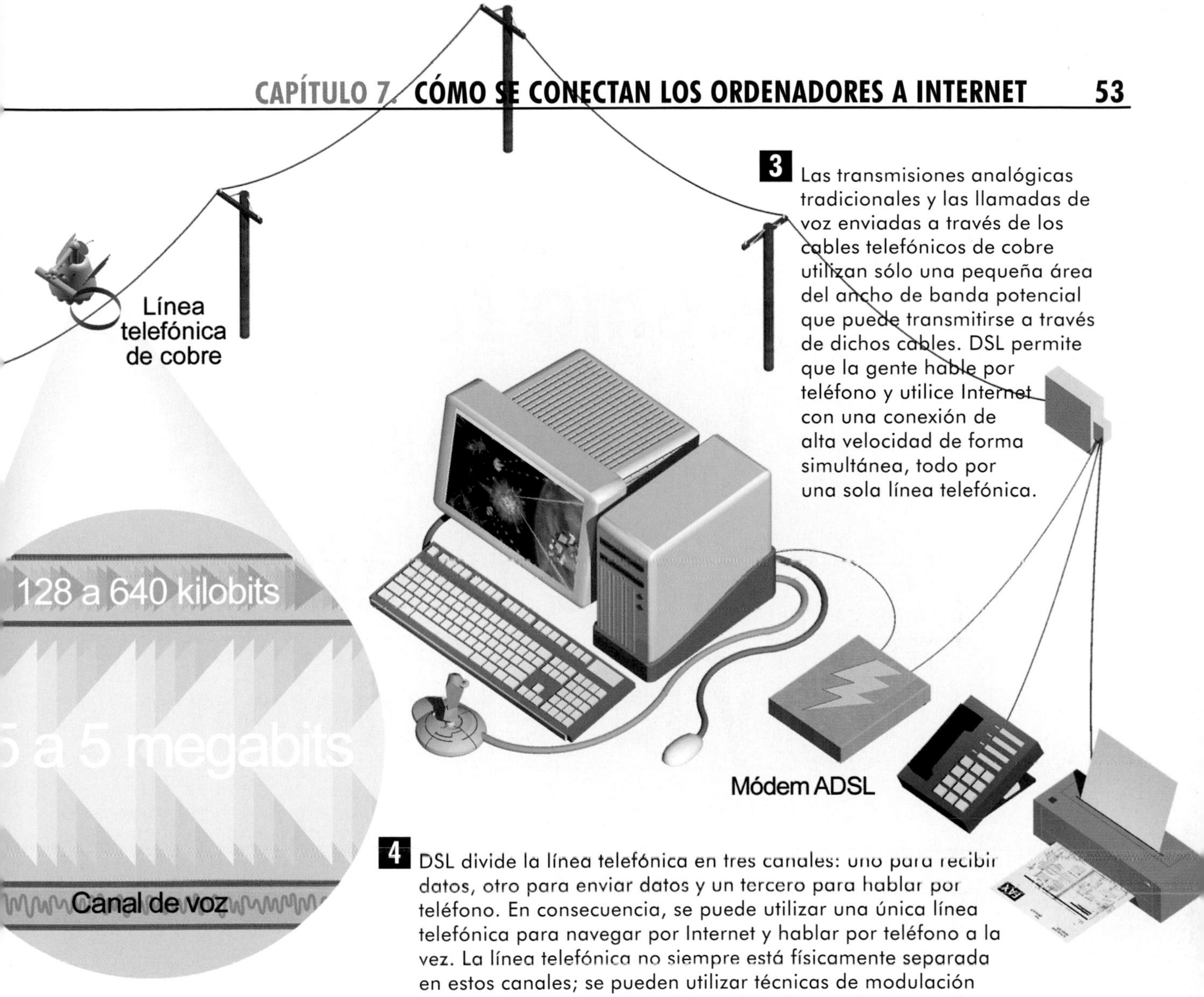

Línea
telefónica
de cobre

3 Las transmisiones analógicas tradicionales y las llamadas de voz enviadas a través de los cables telefónicos de cobre utilizan sólo una pequeña área del ancho de banda potencial que puede transmitirse a través de dichos cables. DSL permite que la gente hable por teléfono y utilice Internet con una conexión de alta velocidad de forma simultánea, todo por una sola línea telefónica.

128 a 640 kilobits

5 a 5 megabits

Canal de voz

Módem ADSL

4 DSL divide la línea telefónica en tres canales: uno para recibir datos, otro para enviar datos y un tercero para hablar por teléfono. En consecuencia, se puede utilizar una única línea telefónica para navegar por Internet y hablar por teléfono a la vez. La línea telefónica no siempre está físicamente separada en estos canales; se pueden utilizar técnicas de modulación para separar los tres tipos de señales: de voz, de envío y de recepción. Los canales de envío y recepción pueden dividirse en distintas velocidades. Una forma de ADSL puede, por ejemplo, recibir datos a 1,5Mbps, y enviarlos a 640Kbps.

5 Para funcionar de la forma adecuada, su módem DSL debe estar ubicado a una determinada distancia del módem DSL de respuesta situado en la compañía telefónica. La distancia exacta varía según el servicio DSL y la velocidad que se ofrezca e incluso según el ancho del cable telefónico de cobre. Por ejemplo, para un servicio de 8,448Mbps, el módem DSL de la compañía telefónica tiene que estar a una distancia de menos de 3 kilómetros de su módem. Sin embargo, para conseguir una velocidad de 2,048Mbps el módem puede ubicarse a una distancia de casi cinco kilómetros.

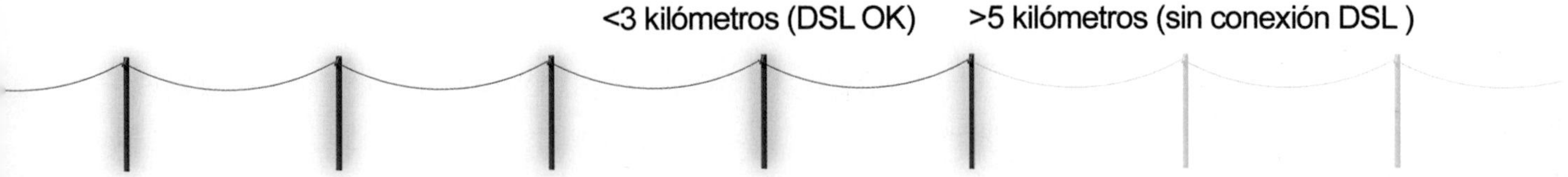

<3 kilómetros (DSL OK)   >5 kilómetros (sin conexión DSL)

CAPÍTULO

8

Cómo funcionan las conexiones entre Internet y la televisión

CUANDO la gente empezó a hablar de la "autopista de la información" hace varios años, no hablaban de Internet, hablaban de la televisión, y particularmente de la televisión por cable, algo que todo el mundo pensaba que cambiaría la forma en la que vivimos y trabajamos. Se podían ver más de 500 canales de televisión, ofrecía "televisión interactiva", daba la posibilidad de comprar desde casa y emitía noticias personalizadas disponibles en cualquier momento. Esta autopista de la información iba a conectarnos a todos electrónicamente, de forma que pudiéramos comunicarnos de forma sencilla y obtener información, servicios, productos y entretenimiento. Las cosas no se desarrollaron de esta forma. En su lugar, Internet se ha convertido en la superautopista de la información que puede hacer prácticamente todo lo que la gente pensó que podría hacerse utilizando la televisión por cable.

Pero Internet ya no es la única fuerza motora que se oculta detrás de la superautopista de la información. Cada día, la televisión e Internet se encuentran más cerca la una de la otra. Internet tiene cada vez más cualidades propias de la televisión, como la capacidad de reproducir videos y música o la emisión de material de vídeo en directo. La tecnología de la televisión está empezando a utilizar Internet para añadir interactividad a la experiencia televisiva.

De hecho, se puede decir que la televisión e Internet ya se están fusionando. Pronto podremos ver un acontecimiento deportivo y chatear a la vez con otras personas mientras lo vemos, todo en la misma pantalla. Lo que es más, cuando un bateador se dirija a batear durante un partido de béisbol, podrá utilizar Internet para acceder a estadísticas detalladas sobre el bateador, e incluso podrá ver vídeos antiguos sobre lo más destacado de su carrera.

La televisión e Internet han empezado a fusionarse en formas muy reales, en particular, a través de los cable módems, de la televisión interactiva (que utiliza Internet para entregar información a la gente a través de sus pantallas de televisión) y de la televisión sobre protocolo IP (IPTV), que utiliza los protocolos subyacentes de Internet para hacer llegar señales de televisión a las casas de la gente a través de líneas telefónicas.

Los cable módems ofrecen un acceso de extremadamente alta velocidad a Internet. Le permiten acceder a la red utilizando el cable de televisión coaxial existente que llega a su casa. Los cable módems le ofrecen velocidades similares a las de T1 o incluso más altas, pero por una mínima parte del precio de las líneas T1. Pueden ofrecer estas altas velocidades porque se envían a través de líneas de cable de alta capacidad. Como los datos de Internet y la señal del cable normal coexisten en las mismas líneas, puede acceder a la red y ver la televisión de forma simultánea.

Existe una tecnología diferente que le permite navegar por la Web utilizando su televisor. Un decodificador conecta su televisión a Internet a través de un módem, coge la señal del módem y la envía a la televisión. Un dispositivo parecido a los mandos a distancia le permite navegar por la red mientras ve la televisión, todo al mismo tiempo. La televisión interactiva va un paso más allá y utiliza un decodificador para permitir la interactividad con su PC, utilizando tecnologías de Internet.

En la actualidad, no existe un sólo estándar en el funcionamiento de Internet con la televisión mejorada, ni siquiera se ha llegado a un acuerdo sobre qué características debería tener tal servicio. La ilustración incluida en este capítulo le muestra algunas de las formas más comunes en las que es probable que funcione dicho servicio.

Finalmente, las compañías telefónicas están entrando en el negocio de llevar las señales de televisión a las casas de la gente a través de líneas de fibra óptica. Hacen esto utilizando IPTV, que se sirve de los protocolos subyacentes de Internet para transportar la televisión.

Cómo funcionan los cable módems

1 El cable coaxial, en ocasiones denominado cable de banda ancha, que llega a su casa desde un poste, está separado en dos conexiones mediante un divisor situado en el interior de la casa. Una parte del cable va al decodificador normal que proporciona acceso a la televisión por cable. La otra parte del cable va al cable módem, en ocasiones denominado módem de banda ancha.

2 El cable módem se conecta a una tarjeta de red Ethernet situada en el interior del ordenador. Esta tarjeta de red está configurada de la misma forma que cualquier otra tarjeta de red de un ordenador que se conecta a Internet y tiene una dirección de red.

3 Las señales para enviar y recibir a y desde Internet viajan a través del cable coaxial, pasando por el cable módem, hasta llegar a su ordenador por la tarjeta de red. El cable coaxial transporta de forma simultánea las señales de televisión y del ordenador. Las señales del ordenador viajan en un canal de 6MHz dentro del espectro de banda ancha en el cable coaxial.

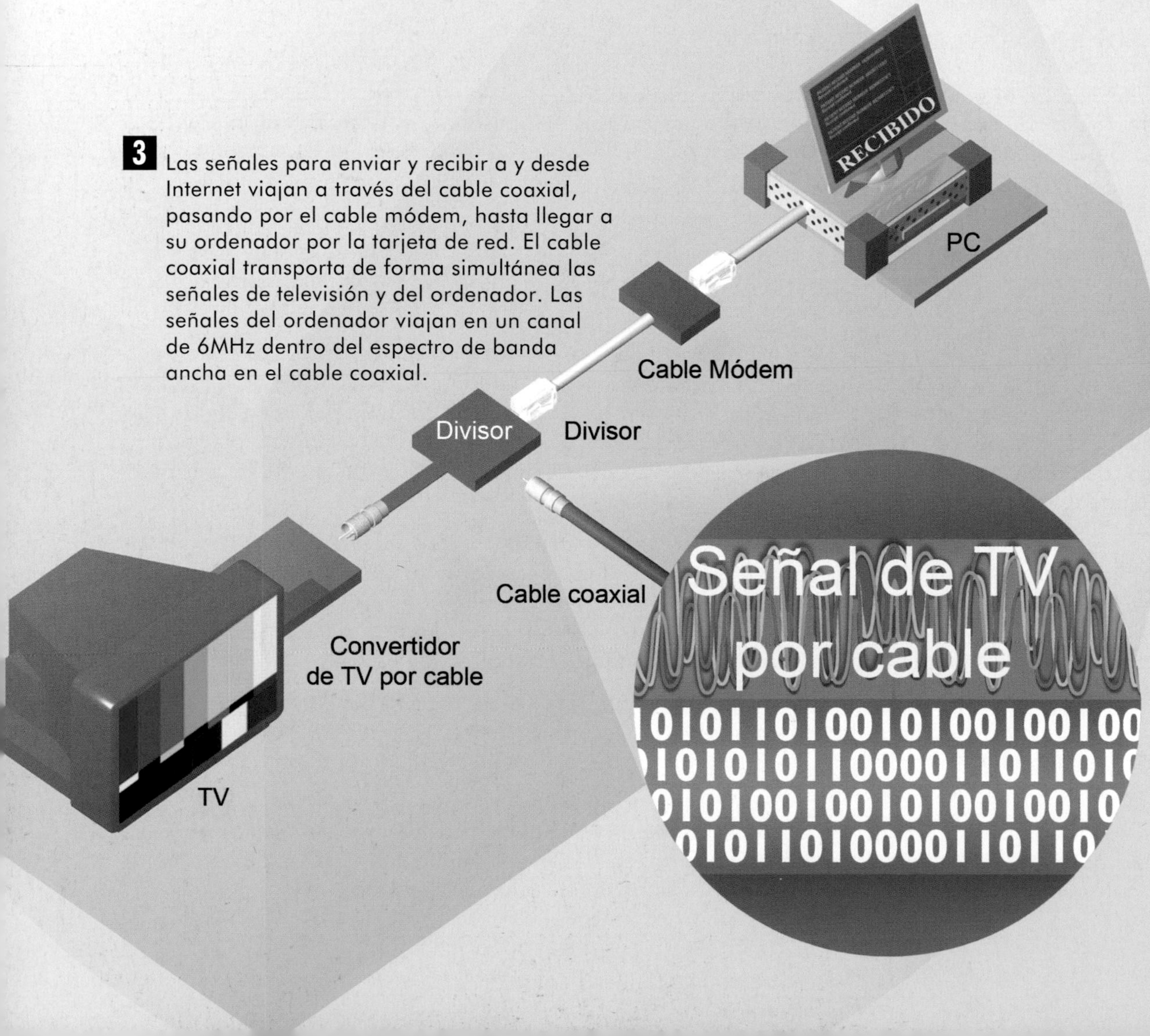

RECIBIDO

PC

Cable Módem

Divisor   Divisor

Cable coaxial

Señal de TV por cable

Convertidor de TV por cable

TV

7 El centro distribuidor cuenta también con servidores de Internet de alta velocidad. Un servidor de noticias ofrece acceso a los grupos de noticias Usenet de Internet a alta velocidad porque la gente accede al servidor a través de cables de fibra óptica y cables coaxiales de alta velocidad, en lugar de tener que hacerlo a través de Internet, que es más lento. Además, los servidores proxy almacenan en su memoria las versiones más actuales de los sitios a los que se accede con más frecuencia en Internet. De esta forma, los clientes de cable módem pueden conseguir un acceso de alta velocidad a los sitios, porque acceden a ellos a través de cables coaxiales y de fibra óptica de alta velocidad, en vez de hacerlo a través de Internet.

4 La empresa que ofrece estos servicios de cable divide cada ciudad en vecindarios de aproximadamente 500 casas, todas ellas situadas en una sola área local o nodo. Las 500 casas comparten el nodo. Tanto la televisión como los datos de Internet viajan entre esas 500 casas y el nodo a través de cables coaxiales. Si hay muchas personas accediendo a Internet de forma simultánea en un mismo nodo, el acceso es más lento que si hay sólo algunas de ellas.

Nodo

5 Los nodos están conectados a través de líneas de fibra óptica de alta velocidad a un centro distribuidor de cable. Un solo centro distribuidor gestiona normalmente todos los nodos de entre 4 y 10 ciudades. El centro distribuidor es el responsable de la entrega de la programación de televisión y el acceso a Internet a los clientes del cable.

6 El centro distribuidor recibe las transmisiones de televisión de los satélites, y tiene acceso a Internet a través de enlaces de alta velocidad a Internet. Estos alimentadores proporcionan la programación por cable y el acceso a Internet a los clientes del cable.

Antena parabólica

Centro distribuidor

Servidor Proxy
Servidor de grupos de noticias
Servidor de correo

...ceso a Internet de alta velocidad

Cómo funciona la televisión mejorada con Internet

1 Para recibir televisión mejorada con Internet, el televisor necesita un decodificador especial que pueda recibir y entregar servicios mejorados con Internet. El decodificador contiene un potente procesador y un disco duro.

Estadís•

Community Access - - San Bruno Little League
Darren Bechtel - - Second Base
3/1 - - man on first - - one man out

SCORE: Bruins (home) 4 - Wildcats 3
back   next   map   help

tener estadísticas

2 La televisión mejorada con Internet puede funcionar con muchos tipos de conexiones de televisión, incluyendo las conexiones por cable, las conexiones por satélite y posiblemente las conexiones DSL también. La conexión, como la conexión por cable mostrada aquí, va directamente al decodificador, no a la propia televisión.

3 Cuando una emisora de televisión envía información, esa información contiene la emisión de TV normal junto con una señal de televisión mejorada con información relacionada con Internet. Las televisiones que carecen de dicho decodificador especial muestran la emisión de televisión normal e ignoran la señal mejorada.

```
<body style="background: url(t
<a href="tv:">back</a>
<a href="tv:">next</a>
```

4 La señal mejorada puede contener diversa información extra, y puede enviarse utilizando HTML, el lenguaje de la Web. Por ejemplo, la información podría contener estadísticas sobre un bateador durante la emisión de un partido de béisbol, o podría permitir a los espectadores responder a las preguntas durante un concurso. Las páginas HTML también pueden contener comandos HTML específicos de la televisión que pueden mostrarse sólo a través de los decodificadores, y no con los navegadores Web.

5 El decodificador interpreta la información HTML y la formatea de manera que pueda mostrarse en un televisor. Esta información puede superponerse al programa de la televisión de forma que pueda ver dicha información mientras ve el programa.

6 Mediante la utilización de un mando a distancia especial, el espectador puede interactuar con la televisión, por ejemplo, haciendo clic en un vínculo para acceder a las estadísticas de béisbol o participar en una encuesta durante un telediario. Cuando un espectador hace clic en un vínculo, dicho vínculo se comporta como cualquiera de los que aparecen en una página Web y le lleva a la información o a la página requerida. La petición vuelve al decodificador, se envía a la página Web y después se muestra a través de la señal de televisión mejorada de nuevo en el decodificador.

Cómo funciona IPTV

1 Las señales de vídeo llegan al centro distribuidor nacional de la compañía telefónica, que recoge las emisiones de vídeo de los satélites.

2 Normalmente estas emisiones se reciben en formato digital, lo más común es que sean MPEG-2, aunque a veces también en formatos H.264 y Windows Media. Si estas señales no se reciben como emisiones digitales, se codifican en formato digital, generalmente en MPEG-2.

3 Las transmisiones de vídeo se dividen en paquetes IP y se envían a la red central de la compañía telefónica, una red masiva que gestiona datos y voz entre otras cosas además de las emisiones de televisión. Como la red es interna y está controlada por la compañía telefónica en vez de por la red externa, el teléfono puede utilizar herramientas para mejorar la calidad de la señal de vídeo, o para asegurarse de que se da a sus paquetes la máxima prioridad posible, utilizando la Calidad de servicio (QoS).

4 Las corrientes de vídeo viajan por la red a las oficinas locales ubicadas por el país. Las oficinas locales integran las emisiones con la programación local, como las emisoras locales, la publicidad local y servicios como el pago por visión. Además, las oficinas locales cuentan con un software de conectividad (*middleware*) que gestiona la facturación y tareas similares.

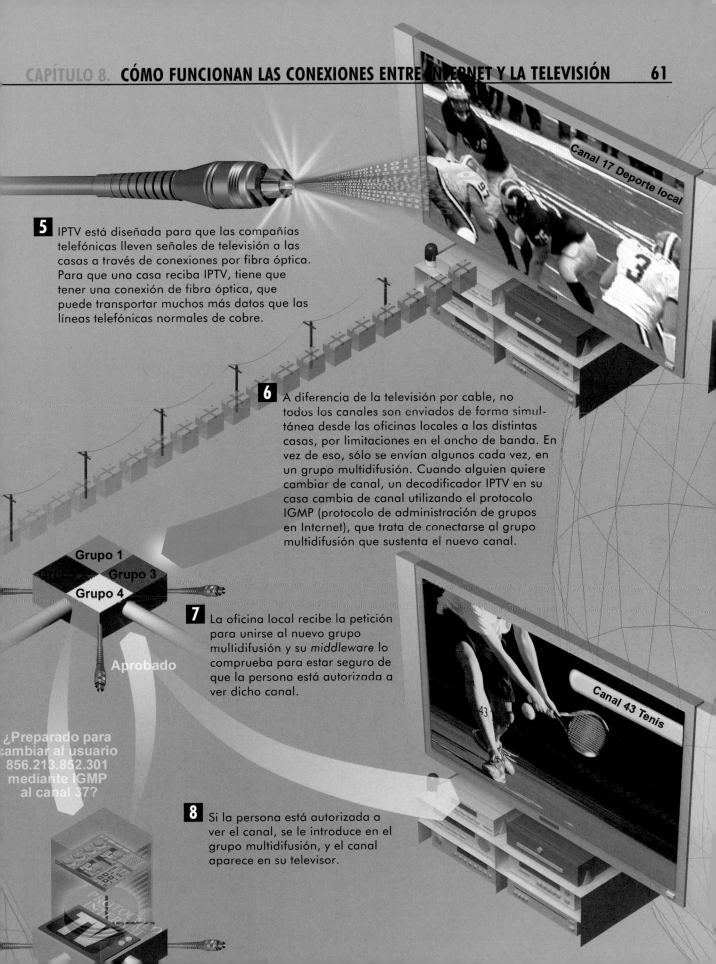

Canal 17 Deporte local

5 IPTV está diseñada para que las compañías telefónicas lleven señales de televisión a las casas a través de conexiones por fibra óptica. Para que una casa reciba IPTV, tiene que tener una conexión de fibra óptica, que puede transportar muchos más datos que las líneas telefónicas normales de cobre.

6 A diferencia de la televisión por cable, no todos los canales son enviados de forma simultánea desde las oficinas locales a las distintas casas, por limitaciones en el ancho de banda. En vez de eso, sólo se envían algunos cada vez, en un grupo multidifusión. Cuando alguien quiere cambiar de canal, un decodificador IPTV en su casa cambia de canal utilizando el protocolo IGMP (protocolo de administración de grupos en Internet), que trata de conectarse al grupo multidifusión que sustenta el nuevo canal.

Grupo 1

Grupo 3

Grupo 4

7 La oficina local recibe la petición para unirse al nuevo grupo mullidifusión y su *middleware* lo comprueba para estar seguro de que la persona está autorizada a ver dicho canal.

Aprobado

Canal 43 Tenis

¿Preparado para cambiar al usuario 856.213.852.301 mediante IGMP al canal 37?

8 Si la persona está autorizada a ver el canal, se le introduce en el grupo multidifusión, y el canal aparece en su televisor.

9

Cómo funcionan las conexiones inalámbricas y los WiFi

EL mundo de las conexiones por cable creó una revolución al permitir que la gente se conectara a Internet. Hoy en día el mundo inalámbrico (la posibilidad de conectarse a Internet sin cables) significa un cambio de las mismas dimensiones.

La forma más popular de conectarse a Internet de manera inalámbrica es a través de un conjunto de tecnologías denominadas 802.11 o WiFi. Existen varios estándares para 802.11, y se conectan a distintas velocidades, incluyendo el estándar 802.11b, que funciona en el espectro de 2,4GHz y transfiere los datos a una velocidad máxima de 11Mbps; el estándar 802.11a, que funciona en el espectro de 5GHz lo hace a una velocidad de 54Mbps; y el estándar 802.11g, que funciona en el espectro de 2,4GHz y transfiere los datos también a una velocidad máxima de 54Mbps. Además, están surgiendo nuevos estándares que transfieren datos a velocidades mucho más altas, como el 802.11n, que transfiere los datos a velocidades aproximadamente diez veces mayores que las utilizadas por el estándar 802.11g.

Para conectarse a Internet de esta forma, hay que utilizar una tarjeta 802.11 en un dispositivo informático como un portátil o una PDA, y tiene que conectarse a un punto de acceso inalámbrico cercano compatible, la mayoría de las veces denominado router. Estos routers pueden encontrarse en casa o en una empresa. Hoy en día hay cada vez más puntos de acceso público (*hot spot*) que le permiten conectarse a Internet desde lugares públicos como cafés, hoteles y aeropuertos.

Un problema al que nos enfrentamos al utilizar redes inalámbricas es que pueden ser vulnerables y accesibles para intrusos y piratas informáticos, que pueden utilizar una técnica denominada *war driving* (técnica que consiste en ir con el coche y un portátil localizando redes inalámbricas) para acceder a una determinada red.

Existen varias formas de conectarse de forma inalámbrica a Internet, por ejemplo, a través de una conexión por satélite.

Los sistemas de acceso por satélite son, en cierta forma, híbridos extraños. Muchos de ellos, aunque no todos, siguen necesitando que se utilice un módem. El módem se utiliza para pedir información de Internet, de forma que, cuando envía información a través de Internet, la velocidad es la que proporciona un módem normal. Sin embargo, esto significa que si está enviando un email, o transfiriendo un archivo a alguien a través de FTP, esa información se transmite a velocidad de módem, no a velocidad de satélite.

Al acceder a Internet vía satélite, seguimos utilizando un ordenador tradicional. Sin embargo, también puede acceder a la Web de otras formas utilizando nuevos tipos de dispositivos digitales, en particular PDA. Estos pequeños ordenadores pueden poner literalmente la Web en la palma de su mano. Sólo tiene que conectarles un módem, y podrá acceder a Internet, enviar y recibir correo electrónico y navegar por la Web con ellas, pero, como ya hemos comentado, también puede utilizar estos dispositivos para acceder a Internet utilizando tecnología WiFi.

Cómo conectarse a Internet a través de una conexión por satélite

1 El acceso a Internet a través de una conexión por satélite le permite obtener información en su ordenador a velocidades mucho mayores que las que se obtienen utilizado módems normales, a 400 Kbps. Para poder utilizarla, necesita una antena parabólica de la misma forma que necesita una antena parabólica para poder ver televisión por satélite.

6 El satélite, a su vez, envía la información a 400Kbps a la antena parabólica de su casa.

7 La antena parabólica envía la información a su ordenador a través de un cable coaxial, el mismo tipo de cable que se utiliza en los sistemas de televisión por cable. El cable coaxial puede enviar datos a velocidades más altas que las de las líneas telefónicas normales. El cable coaxial envía los datos a una tarjeta de red que se encuentra dentro de su ordenador. Ahora puede visualizar la página Web, y l ha obtenido a una velocidad de 400Kbps en lugar de a 28,8Kbps o 56Kbps.

Antena parabólica

2 Cuando desea visitar una página Web, se emite una petición a través de su PC, como haría normalmente. Esta petición se envía a través de un módem normal al ISP, utilizando las líneas telefónicas convencionales. Si tiene un proveedor de Internet que es capaz de utilizar el satélite tanto para cargar datos como para descargarlos, no necesitará una línea telefónica aparte.

Petición

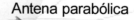

Módem

ISP

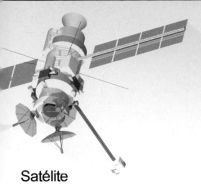

Satélite

5 El NOC envía la información a un satélite que se encuentra por encima de la tierra a una velocidad de 400Kbps.

4 En lugar de devolver la información directamente a través de las líneas telefónicas, el servidor Web envía dicha información al centro de operaciones de red (NOC) a través de enlaces especiales de alta velocidad.

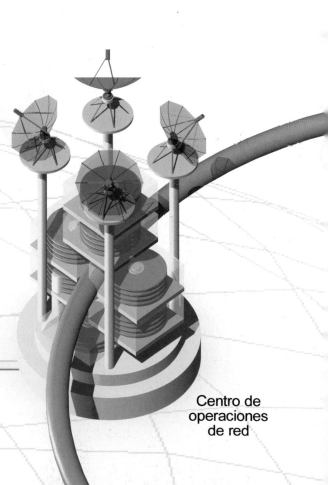

3 Su petición para acceder a dicha página Web llega al servidor Web que aloja el sitio que desea visitar.

Servidor Web

Centro de operaciones de red

Cómo acceden a Internet los teléfonos móviles

1 La forma principal en la que los teléfonos móviles acceden a Internet es a través de un protocolo denominado WAP (protocolo de aplicaciones inalámbricas) y su lenguaje de marcado asociado, WML (lenguaje de marcado inalámbrico). Para utilizar WAP con el fin de acceder a una página Web a través de un teléfono móvil, primero necesita realizar una llamada a través del teléfono móvil. Cuando marca un número en un teléfono móvil, éste busca la antena celular más cercana, denominada estación base, para transmitir la llamada. El teléfono escanea las estaciones base más cercanas, y localiza la que está más cerca o la que tiene la señal más potente.

MSN 13572
ESN 25817

¿Quién eres?

Obtener página Web

WML

2 El teléfono pide autorización para hacer la llamada. La estación base comprueba el número de serie mecánico (MSN) del teléfono y el número de serie electrónico (ESN) para garantizar que el teléfono tiene permiso para utilizar la red celular.

3 La estación base envía la llamada a la red telefónica por cable (también denominada línea terrestre) y a continuación al servidor de red y a la pasarela WAP.

8 Ahora puede leer la página en su teléfono móvil, puesto que ha sido específicamente formateada para su visualización. Sin embargo, los teléfonos móviles tienen dificultad a la hora de gestionar gráficos, por lo que no todas las páginas Web se mostrarán de forma adecuada, incluso habiendo cambiado su formato a WML.

Obtener página Web

Obtener
página
Web

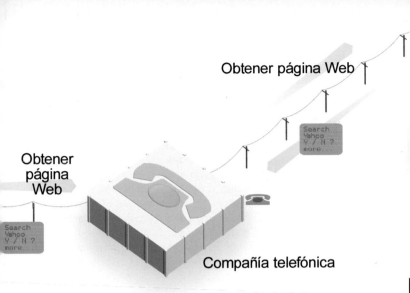

Compañía telefónica

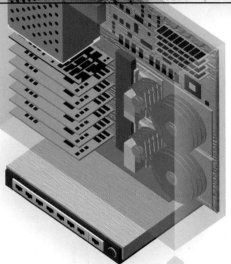

Servidor de red

7 La página WML se envía a través de la línea terrestre a la estación base. La estación base envía la página a su teléfono móvil.

6 Si la página está en formato HTML normal, la pasarela reformalea la página para convertirla en WML, de forma que su teléfono móvil pueda leerla. Si la página ya está en formato WML, la pasarela no tiene necesidad de reformatear la página.

Obtener
página
Web

Pasarela WAP

4 La pasarela envía la petición de la página Web al servidor Web en el que se hospeda dicha página.

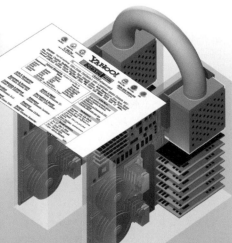

Obtener página Web

5 La página se envía de vuelta a la pasarela WAP.

Router

Cómo funciona el Bluetooth

3 Cuando un dispositivo Bluetooth encuentra otro dispositivo, o más de un dispositivo, dentro de su alcance, se inicia una serie de comunicaciones que establecen si deberían comunicarse entre sí. No todos los dispositivos procederán a comunicarse, por ejemplo, puede que un estéreo no se comunique con un teléfono. Los dispositivos determinan si deberían comunicarse o no con otro examinando los perfiles de Bluetooth de los otros, que el fabricante del hardware ha codificado dentro del hardware del dispositivo. Los perfiles contienen información sobre el propio dispositivo, para qué se utiliza y con qué otros dispositivos se comunicará. Si los dispositivos deciden comunicarse entre sí, establecen una conexión. La conexión de dos o más dispositivos Bluetooth se denomina piconet.

Ordenador
portátil

2 El dispositivo Bluetooth envía constantemente un mensaje, en busca de otros dispositivos Bluetooth dentro de su alcance.

1 Bluetooth es una tecnología inalámbrica que permite a ordenadores, teléfonos, PDA e incluso dispositivos domésticos como estéreos y televisiones comunicarse entre sí. Cada dispositivo Bluetooth tiene un microchip incrustado que puede enviar y recibir señales de radio. Puede enviar tanto datos como voz. Las señales de radio se envían y reciben en la frecuencia de 2,4GHz, que se denomina banda ICM (uso industrial, científico y médico). En el interior del chip hay un software denominado controlador de enlace, que lleva a cabo la tarea real de identificar otros dispositivos Bluetooth y de enviar y recibir datos.

Chip Bluetooth

Piconet 2

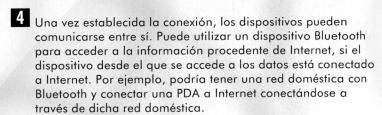

4 Una vez establecida la conexión, los dispositivos pueden comunicarse entre sí. Puede utilizar un dispositivo Bluetooth para acceder a la información procedente de Internet, si el dispositivo desde el que se accede a los datos está conectado a Internet. Por ejemplo, podría tener una red doméstica con Bluetooth y conectar una PDA a Internet conectándose a través de dicha red doméstica.

Maestro

Esclavo

PDA

5 Si hay muchos dispositivos Bluetooth o piconet con poca distancia entre ellos, cabe la posibilidad de que las señales de radio interfieran entre sí. Para asegurarse de que esto no ocurre, Bluetooth utiliza el espectro ensanchado por salto de frecuencia. En esta técnica, los transmisores cambian sus frecuencias constantemente, 1.600 veces por segundo. De esta forma, la posibilidad de interferencia es muy pequeña, y, si se dan interferencias, duran solo una diminuta fracción de segundo. Cuando dos o más dispositivos están conectados en un piconet, un dispositivo es el maestro, y determina las frecuencias a las que hay que cambiar y cuándo.

6 Los piconets pueden vincularse entre sí, y cualquier dispositivo Bluetooth puede formar parte de más de un piconet.

Esclavo

Piconet 1

Cómo funcionan las redes inalámbricas (WiFi)

Ethernet

1 Un componente clave de una red 802.11 (también llamada red inalámbrica o WiFi) es un punto de acceso o router. El punto de acceso está compuesto por un transmisor y receptor de radio además de una interfaz a una red conectada por cable, como una red Ethernet, o directamente a Internet. El punto de acceso funciona como una estación base y sirve de puente entre la red inalámbrica y la red Ethernet de mayor tamaño o Internet.

Punto de acceso

¿Hola?

Tarjeta V

2 Para que un ordenador forme parte de la red, debe estar equipado con una tarjeta de red inalámbrica compatible con 802.11 para que pueda comunicarse con el punto de acceso. Cada ordenador que forma parte de la red suele denominarse estación. Muchas estaciones pueden comunicarse con un solo punto de acceso. Un punto de acceso y totas las estaciones que se comunican con él se denominan, en conjunto, BSS (conjunto básico de servicios).

3 Cuando se enciende una estación por primera vez o entra en un área que se encuentra cerca del punto de acceso, escanea el área en busca del punto de acceso enviando paquetes de información de búsqueda (*probe request frames*) y esperando para ver si hay una respuesta procedente de un punto de acceso próximo. Si la estación encuentra más de un punto de acceso, escoge uno basándose en la fuerza de la señal y en el índice de error.

4 Las estaciones se comunican con el punto de acceso utilizando un método llamado CSMA/CA (acceso múltiple por detección de portadora evitando colisiones). Comprueban si las otras estaciones se están comunicando con el punto de acceso y, si es así, esperan un determinado periodo de tiempo aleatorio antes de transmitir información. Esperar un periodo de tiempo aleatorio garantiza que los reintentos de transmisión no colisionan continuamente entre sí.

Probe
Request
Frame

Estación 128
petición de envío
(RTS)
12:47:035

Punto de acceso 7
OK Estación 128
CTS (listo para enviar)
12:47:035

Estación 42
petición de envío
(RTS)
12:47:035

Estación 219
petición de envío
(RTS)

Estació
petición de

5 Antes de transmitir información o una petición, una estación envía primero un pequeño paquete de información denominado petición de envío (RTS), que incluye información sobre la petición o los datos que serán enviados, como su origen, su destino y el tiempo que durará la transmisión.

6 Si el punto de acceso está libre, responde con un pequeño paquete de información denominado CTS (listo para enviar), que informa a la estación de que el punto de acceso está preparado para recibir información o peticiones.

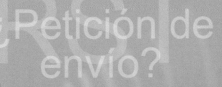

7 La estación envía el paquete al punto de acceso. Una vez enviado el paquete, el punto de acceso envía un paquete ACK (acuse de recibo) que confirma que se han recibido los datos. Si no se envía un paquete ACK, la estación vuelve a enviar los datos hasta que recibe un paquete ACK.

8 Una red 802.11 puede tener muchos puntos de acceso y muchas estaciones. Las estaciones pueden moverse de punto de acceso en punto de acceso. Todos juntos, todos los puntos de acceso y las estaciones se denominan ESS (conjunto extendido de servicios).

9 El estándar 802.11 también permite que las estaciones se comuniquen directamente entre sí, sin una conexión al punto de acceso, a la red o a Internet. Cuando las estaciones se comunican directamente entre sí se denomina red punto a punto. Este tipo de comunicación que las estaciones puedan hacer cosas como compartir archivos.

Red punto a punto (P2P)

Cómo funcionan los hot spot inalámbricos públicos

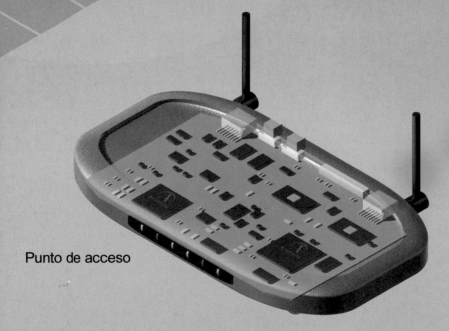

Ethernet

Punto de acceso

Hot Spot WiFi

Hot Spot WiFi

Hot Spot WiFi

Interr

1 Un *hot spot* WiFi inalámbrico permite que las personas que tengan portátiles, PDA u otros dispositivos equipados con tarjetas de red WiFi se conecten a Internet a través de esos accesos públicos o *hot spot*. Hay miles de *hot spot* en cafeterías, restaurantes de comida rápida, hoteles y aeropuertos, y hay conjuntos de *hot spot* que cubren áreas enteras de las ciudades. En muchos de estos *hot spot* hay que pagar para conectarse, aunque cada vez son más los accesos gratuitos.

Punto de acceso

2 Cada *hot spot* necesita su propia conexión a Internet, de forma que la gente que se conecte a él pueda a su vez conectarse a Internet. Las conexiones del *hot spot* a Internet son normalmente conexiones de alta velocidad, porque todos los usuarios de dicho *hot spot* tienen que compartir su ancho de banda.

3 Antes de poder utilizar *hot spot* de pago, los usuarios
tienen que registrarse, de la misma forma que se hace
con cualquier otro proveedor de servicios de Internet.
Cuando un suscriptor de un *hot spot* desea acceder a
Internet a través de dicho *hot spot*, utiliza el software
incluido en el sistema operativo o el software del proveedor del *hot spot*. Si el *hot spot* es de pago, también
tendrá que identificarse e introducir un nombre de
usuario, para garantizar que es quien dice ser.

4 Si el usuario se ha registrado en una red de *hot
spot*, como la de un proveedor nacional importante
como TMobile, podrá conectarse desde cualquiera
de los cientos o miles de *hot spot* controlados por
el proveedor. No podrá conectarse a los *hot spot*
que no pertenezcan a su proveedor.

Mapas de cobertura del servicio WiFi

5 Algunas áreas metropolitanas han establecido zonas de *hot spot* públicas
y gratuitas en los centros de las ciudades. Cualquiera puede conectarse
a Internet a través de los *hot spot* situados en esas áreas sin tener que
pagar. En realidad, cuentan con más de un solo *hot spot*. Los *hot spot*
individuales proporcionan una cobertura superpuesta, de manera que
cualquiera pueda pasar de
un *hot spot* a otro, sin perder en ningún momento la
conexión a Internet.

CAPÍTULO

10

Cómo funcionan las redes domésticas

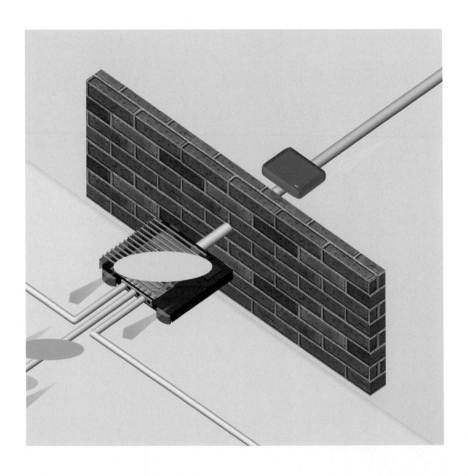

EN el mundo actual, en el que muchos hogares tienen más de un ordenador, las redes domésticas se han convertido en algo habitual. Las redes domésticas se utilizan principalmente para permitir que múltiples ordenadores compartan una conexión a Internet de banda ancha, pero también permite que esos ordenadores compartan una impresora y puedan intercambiar archivos entre ellos.

Las redes más comunes que se encuentran en las casas son redes inalámbricas basadas en la familia de protocolos 802.11, denominados Wi-Fi.

Las redes inalámbricas, aunque tienen su origen en el entorno de las empresas, se utilizan en la actualidad con más frecuencia en las casas que en el trabajo. Hay varias razones por las que esto es así; una de las más importantes tiene que ver con el precio. Las empresas están ubicadas en edificios de oficinas que ya han sido cableados (los edificios son cableados con cables Ethernet para conectar los ordenadores a la red, por lo que crear una red completamente inalámbrica es una opción muy cara).

Por el contrario, los hogares no vienen equipados con cables Ethernet en las paredes. En consecuencia, para poner en red ordenadores situados en distintas habitaciones (un estudio, una oficina en casa y varios dormitorios de los niños, por ejemplo) tendríamos que introducir cables por las paredes, y eso implica una considerable cantidad de tiempo y de dinero. Con una red inalámbrica, no hay necesidad de gastar ese dinero, ni de invertir ese tiempo.

La otra razón por la que las redes inalámbricas se han hecho tan populares en las casas es que las que se utilizan a nivel doméstico son muy sencillas de configurar, y son bastante asequibles a nivel económico, en algunos casos menos de cien euros por una red completa. Para establecer una red inalámbrica en casa, tiene que comprar un kit de red con todos los elementos necesarios, o puede comprar estos elementos de forma individual. Necesitará un router inalámbrico que conecte todos los ordenadores entre sí y a Internet. Tendrá que comprar tarjetas de red inalámbricas para todos los ordenadores que quiera conectar a la red. Todos los ordenadores se conectan al router inalámbrico, y el router dirige todo el tráfico entre los ordenadores y entre los ordenadores e Internet.

La razón principal por la que la gente instala redes inalámbricas es para compartir una conexión de alta velocidad a Internet, como un cable módem o un módem DSL. Pero pueden utilizar la red para otras cosas, como para compartir dispositivos, por ejemplo las impresoras, intercambiar archivos o jugar en red contra otros miembros de la familia. Además, las redes inalámbricas domésticas pueden utilizarse para transmitir, en tiempo real, música y vídeo a televisiones y equipos estéreo.

Aunque en la actualidad son principalmente los ordenadores de casa los que se unen a través de una red inalámbrica, en el futuro hará otros tipos de dispositivos y aparatos que se conectarán también entre sí, como frigoríficos, microondas y despertadores. No sólo se conectarán entre sí, sino que además se conectarán a Internet.

La conexión de estos tipos de dispositivos y aparatos hará que la vida sea más cómoda; podremos, por ejemplo, utilizar el frigorífico para generar de forma automática listas de la compra, y enviar los pedidos directamente al supermercado. También tendremos un despertador que cambiará la hora a la que nos despierta basándose en los informes sobre el tráfico que recoge de Internet. Este tipo de dispositivos no son mera fantasía, ya están a la venta o en proceso de pruebas. Al principio, muchos necesitarán cables para conectarse entre sí y a Internet, pero pronto se conectarán también de forma inalámbrica, de hecho, algunos ya lo hacen.

Cómo le permiten las redes domésticas compartir su conexión a Internet

1 La gente configura redes domésticas por una razón principal: compartir un acceso de alta velocidad a Internet, a través de un cable módem o de un módem DSL, por ejemplo, entre varios ordenadores. Para que la red doméstica tenga acceso a Internet, es necesario que haya un cable Ethernet entre el cable módem y el módem DSL y el dispositivo de interconexión, denominado router.

7 Además de obtener acceso a Internet a través del router, los ordenadores también pueden compartir recursos, como impresoras. En consecuencia, cualquier ordenador que se encuentre en la red puede imprimir en una impresora conectada a cualquier otro ordenador, siempre que los ordenadores estén configurados para compartir recursos.

3 El router lleva a cabo dos tareas principales: conecta todos los ordenadores entre sí para que puedan compartir archivos y dispositivos como las impresoras, y conecta todos los ordenadores a Internet de forma que puedan acceder a una conexión de alta velocidad a Internet. Para que el router pueda realizar su trabajo, necesita una dirección IP, proporcionada por un servidor controlado por el proveedor de servicios de Internet (ISP) que gestiona el servicio de cable o DSL.

192.168.1.100

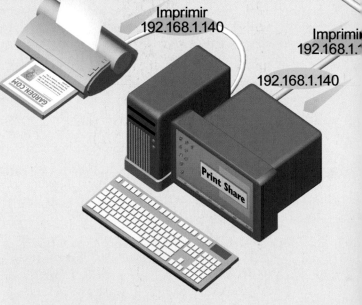

Imprimir
192.168.1.140

Imprimir
192.168.1.1

192.168.1.140

6 Cuando se enciende un segundo ordenador, hace lo mismo que el primero: contacta con el router y obtiene una dirección IP privada. La dirección IP interna será diferente de la del primero, por ejemplo, podría ser 192.168.1.148. Pero, para el mundo real, la dirección IP parecerá la dirección IP del router. El ordenador tendrá ahora un acceso completo a Internet. El resto de los ordenadores de la red doméstica pueden obtener direcciones IP internas y acceder a Internet de la misma forma, utilizando el router doméstico.

Servidor ISP
(a Internet)

137.42.12.12

2 Los ordenadores en red necesitan protegerse de los piratas informáticos y de otros peligros de Internet. Un firewall impide que los piratas entren en su red doméstica.

Cable módem

7.42.12.12
2.168.1.1

Hub/Router

Firewall

5 Cuando se enciende un ordenador, necesita tener una dirección IP para conectarse a Internet. Normalmente, cuando se conecta un ordenador directamente al cable módem o al módem DSL, el ISP que gestiona el cable módem o el servicio DSL le proporciona la dirección IP al ordenador. Sin embargo, en el caso de una red doméstica, el ordenador obtiene la dirección IP del router, que utiliza una técnica denominada traducción de direcciones de red (NAT). Con NAT, la dirección IP, como, por ejemplo, 192.168.1.100, es una dirección IP privada especial utilizada sólo dentro de la red doméstica. Para el mundo exterior, la dirección IP tiene el aspecto de la dirección IP del router. El ordenador puede ahora tener un acceso completo a Internet.

4 Los ordenadores se conectan al router a través de cables Ethernet. Cada ordenador tiene que contar con una tarjeta de red, que está conectada al router a través del cable Ethernet.

192.168.1.140

Imprimir
192.168.1.140

Cómo funciona un servidor multimedia y de música inalámbrico

MOVIES..............
Citizen_Kane.WMP
Chinatown.WMP

MUSIC..............
Over_The_Rainbow.MP3
Misty.MP3

Servidor multimedia

1 Un servidor multimedia y de música inalámbrico incluye un disco duro y una CPU (unidad de procesamiento central) además de un punto de acceso y un router inalámbricos. Puede transmitir, en tiempo real, música y vídeo, no sólo a los ordenadores, pero también a los televisores y a los estéreos de una casa.

2 Para que una televisión, un equipo estéreo o un ordenador personal reproduzca música o vídeo procedentes del servidor, deben tener una conexión inalámbrica a la red. Los ordenadores pueden utilizar su adaptador inalámbrico normal. Para conectar un estéreo, es necesario conectar un adaptador inalámbrico especial al puerto analógico de audio. Para conectar una televisión, hay que conectar un adaptador inalámbrico especial al puerto de vídeo compuesto. Todos los ordenadores, televisores y estéreos llevan a cabo una conexión al servidor multimedia, por lo que todos están en la red.

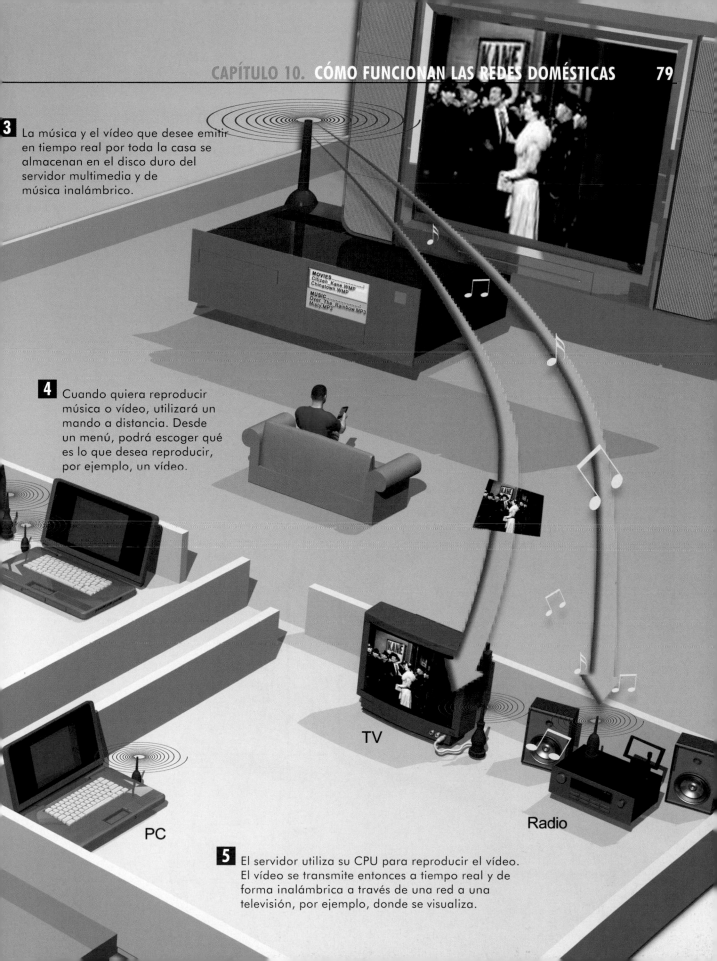

3 La música y el vídeo que desee emitir en tiempo real por toda la casa se almacenan en el disco duro del servidor multimedia y de música inalámbrico.

MOVIES.......................
Citizen_Kane.WMP
Chinatown.WMP

MUSIC.......................
Over_The_Rainbow.MP3
Misty.MP3

4 Cuando quiera reproducir música o vídeo, utilizará un mando a distancia. Desde un menú, podrá escoger qué es lo que desea reproducir, por ejemplo, un vídeo.

TV

PC

Radio

5 El servidor utiliza su CPU para reproducir el vídeo. El vídeo se transmite entonces a tiempo real y de forma inalámbrica a través de una red a una televisión, por ejemplo, donde se visualiza.

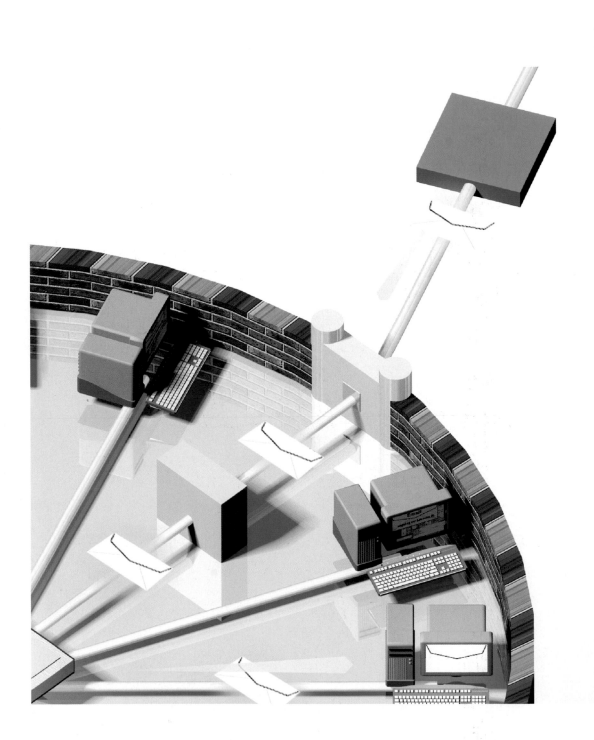

3

Comunicarse en Internet

DESDE sus primeros días, Internet se ha concentrado básicamente en una tarea: facilitar la comunicación de las personas entre sí utilizando ordenadores. Internet se creó para permitir que los investigadores de las universidades compartieran sus pensamientos, su trabajo y sus fuentes, y para que los militares se comunicaran entre sí en caso de guerra e incluso, a nivel teórico, en el supuesto de un ataque nuclear.

Hoy en día, más de dos décadas después del comienzo de las primeras redes que crecieron en Internet, sigue siendo fundamentalmente un medio de comunicación. Millones de personas de todo el mundo comparten sus pensamientos, esperanzas, trabajos, cotilleos y comentarios a través de los cables y ordenadores que componen Internet.

Muchos de los medios de comunicación, como el correo electrónico, han cambiado muy poco en los últimos 20 años. Sin embargo, se han creado otros medios de comunicación completamente nuevos, por ejemplo la capacidad de utilizar Internet como teléfono, disminuyendo a niveles asombrosos los precios de las llamadas de larga distancia, incluso si realiza una de esas llamadas desde el otro lado del mundo.

Algunas tecnologías permiten que la gente se comunique de forma privada, de tú a tú; otras ofrecen la posibilidad de albergar grandes grupos de discusión que abarcan todo el globo; incluso existen tecnologías que permiten tanto la comunicación privada con una persona como la comunicación pública con grandes grupos.

En esta sección del libro hablaremos de las formas principales de comunicación entre personas a través de Internet.

En el capítulo 11, "Cómo funciona el correo electrónico", hablaremos largo y tendido de la que sigue siendo la forma más popular de comunicación entre personas en Internet, el correo electrónico o email. El email es probablemente el uso más importante de Internet, y se utiliza tanto para la comunicación profesional como para la personal. Veremos cómo se dirige su mensaje de correo electrónico desde su ordenador, a través del laberinto de cables que componen Internet, hasta llegar al buzón de entrada del destinatario adecuado. Veremos cuáles son los elementos de un email y aprenderemos cómo enviar archivos binarios, por ejemplo imágenes y sonido, a través del correo electrónico. También hablaremos de las listas de correo, donde puede suscribirse a cualquiera de las miles de discusiones públicas a través de email o recibir lo que son esencialmente boletines de noticias que llegan a su bandeja de entrada. Asimismo analizaremos cómo podemos encontrar la dirección de email de una persona utilizando los directorios de páginas blancas que utilizan una tecnología denominada LADP (*Lightweight Access Directory Protocol*). Finalmente en este capítulo hablaremos de cómo se puede encriptar el correo electrónico de forma que los intrusos y los piratas informáticos no puedan leerlo mientras viaja a través de Internet.

El capítulo 12, "Cómo funciona el correo basura (*spam*)", habla de uno de los métodos más polémicos de comunicación en Internet, la utilización de lo que se denomina *spam*, correo basura o correo electrónico no deseado que es enviado diariamente a millones de personas. Aunque el *spam* es un problema en los grupos de noticias además de en el correo electrónico, el email es el principal punto de controversia. El *spam* molesta a la gente y hace que pierdan el tiempo limpiando sus bandejas de entrada; colapsa Internet, causando quizá que algunos mensajes lleguen más tarde, o nunca lleguen; además, puede entregarse a través del servidor de correo de otras personas, costándoles dinero. Este capítulo describe cómo se envía este *spam*, y ofrece opciones para bloquearlo.

El capítulo 13, "Cómo funcionan la mensajería instantánea y el chat en Internet", trata de los diversos métodos utilizados por la gente para chatear en Internet. Cuando las personas chatean en Internet, realmente no están hablando; lo que hacen es escribir comentarios en sus teclados, y entonces personas de todo el mundo pueden leerlos y responderlos. Este capítulo analiza en profundidad cómo funciona la mensajería instantánea, una forma en la que las personas pueden chatear de tú a tú con otras personas. Dos de los software más populares para comunicarse por Internet, AIM (America Online Instant Messenger) e ICQ son software para chatear. En este capítulo hablaremos también del primer tipo de chat por Internet, denominado IRC (*Internet Relay Chat*). Aunque ya no es tan popular como solía, todavía es una forma que muchas personas utilizan para chatear con otros online. Además, veremos cómo funcionan los *chat rooms*, lugares en los que grupos de personas pueden comunicarse entre sí.

El capítulo 14, "Cómo funcionan Skype y VoIP", explica de forma detallada uno de los usos más fascinantes de Internet: utilizarla como teléfono. Con un micrófono y unos altavoces, o auriculares, puede hacer llamadas telefónicas desde su ordenador, siempre y cuando tenga una conexión a Internet. De hecho, también puede utilizar Internet para realizar llamadas telefónicas sin ni siquiera usar el ordenador, simplemente conectando un teléfono al cable módem, al módem DSL o al router de red doméstico, y usar su teléfono como lo hace normalmente. Existen distintas formas de llevar a cabo llamadas utilizado el Protocolo de voz sobre IP (VoIP); una de ellas es utilizando un software gratuito llamado Skype. Con Skype, puede hacer llamadas telefónicas directamente a otros usuarios de Skype en todo el mundo, o realizar llamadas telefónicas a cualquier lugar del mundo por unos céntimos el minuto.

Finalmente, en el capítulo 15, "Cómo funcionan los blogs y el RSS", hablaremos de uno de los fenómenos más importantes relacionados con Internet, los blogs, también llamados weblogs. Los blogs permiten que cualquier persona pueda colgar sus pensamientos y sus opiniones online, y se han hecho tan populares que han llegado incluso a afectar el resultado de una campaña presidencial, y se han convertido en una de las tecnologías más influyentes del planeta.

CAPÍTULO

11

Cómo funciona el correo electrónico

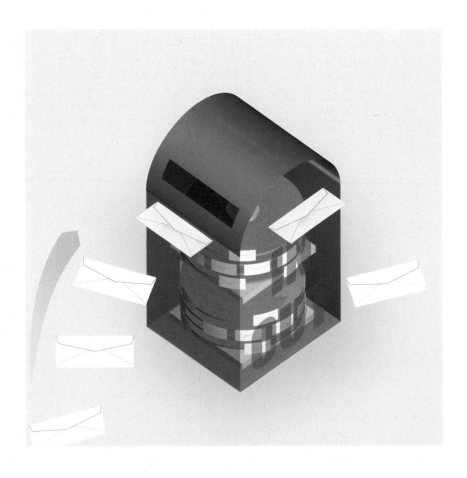

EL correo electrónico, o email, es quizá la característica de Internet que más se utiliza. Podemos usarlo para enviar mensajes a cualquier que esté conectado a Internet o conectado a una red informática que tenga conexión a Internet, como un servicio online. Millones de personas envían y reciben emails todos los días. El email es una forma fantástica de mantenerse en contacto con familiares y amigos que viven lejos de nosotros, con compañeros de trabajo que se encuentran en otras sucursales de su empresa y con colegas de su mismo campo.

Los correos electrónicos se envían de la misma forma que la mayor parte de los datos de Internet. El protocolo TCP divide sus mensajes en paquetes, el protocolo IP envía los paquetes a la ubicación adecuada, y, a continuación, el TCP vuelve a unir el mensaje en el servidor de correo destino, de forma que pueda leerse.

También puede adjuntar archivos binarios, como imágenes, vídeos, sonidos y archivos ejecutables a sus mensajes de correo electrónico. Como Internet no es capaz de gestionar directamente los archivos binarios incluidos en el email, el archivo debe codificarse utilizando uno de los varios esquemas de codificación disponibles. Algunos de estos esquemas más famosos son MIME y uuencode. La persona que recibe el archivo binario incluido en el mensaje (lo que se denomina archivo adjunto) debe decodificar dicho archivo con el mismo sistema que se utilizó para codificarlo. Muchos paquetes de software de correo electrónico llevan a cabo esta tarea de forma automática.

Cuando enviamos un email a alguien por Internet, ese mensaje con frecuencia tiene que viajar a través de una serie de redes antes de llegar al destinatario, redes que pueden utilizar distintos formatos de correo electrónico. Las pasarelas llevan a cabo la tarea de traducir los formatos de correo electrónico de una red a otra, de forma que los mensajes puedan seguir su camino a través de todas las redes de Internet.

Una lista de correo es uno de los usos más enigmáticos del correo electrónico. Conecta a un grupo de personas que están interesadas en el mismo tema, como los cómics japoneses o la escolarización en casa. Cuando una persona envía un email a la lista de correo, ese mensaje se envía de forma automática a todas las personas incluidas en la lista. Puede conocer a otras personas y hablar con ellas de forma regular sobre los intereses, los hobbies o las profesiones que tenéis en común. Para entrar en una lista de correo, tiene que enviar una nota por email al administrador de la lista incluyendo su dirección de email.

Las listas de correo pueden estar moderadas o no. Una lista de correo moderada es aquella en la que el administrador examina los mensajes, y puede eliminar los mensajes duplicados o los que no tengan relación con el tema de la lista. Una lista de correo sin moderar, por el contrario, es una lista completamente abierta; todo correo que se envía a ella se reenvía de forma automática a todos los miembros de la lista.

Con frecuencia, cuando quiere suscribirse a una lista de correo, tiene que enviar un mensaje a un ordenador en lugar de a una persona. Ese ordenador, conocido como servidor de listas de correo (también llamado *listserv*), lee su correo y le suscribe de forma automática a la lista. Si desea darse de baja en una lista, tiene que utilizar el mismo método.

En el pasado, encontrar la dirección de email de una persona era realmente difícil si sólo conocíamos su nombre. En la actualidad, no es tan complicado. Han surgido distintos directorios de "páginas blancas" en Internet que le permiten encontrar fácilmente direcciones de email. Estos sitios utilizan principalmente un estándar denominado LDAP (*Lightweight Directory Access Protocol*), que le permite encontrar la dirección de correo de la gente sin ni siquiera tener que visitar un sitio Web. Utilizando el protocolo, puede buscar direcciones de email en Internet directamente desde su programa de correo electrónico.

Uno de los problemas planteados por el correo electrónico es que no es seguro; los curiosos y los piratas informáticos pueden leerlo mientras recorre los cables públicos que forman Internet. Para asegurarse de que nadie excepto el emisor y el receptor lo leen, puede utilizar encriptación, un software que codifica el correo de forma que sólo pueda leerse si se poseen las claves de encriptación adecuadas.

Cómo se entrega el correo electrónico a través de Internet

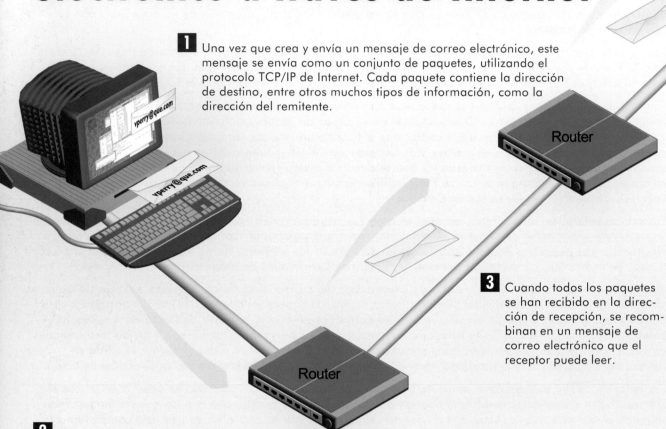

1 Una vez que crea y envía un mensaje de correo electrónico, este mensaje se envía como un conjunto de paquetes, utilizando el protocolo TCP/IP de Internet. Cada paquete contiene la dirección de destino, entre otros muchos tipos de información, como la dirección del remitente.

Router

Router

3 Cuando todos los paquetes se han recibido en la dirección de recepción, se recombinan en un mensaje de correo electrónico que el receptor puede leer.

2 Los routers de Internet analizan las direcciones contenidas en cada paquete y envía los paquetes por la mejor ruta para que lleguen allí. Existen muchos factores que entran en juego a la hora de decidir cómo se envían los paquetes, incluyendo el volumen de tráfico en los distintos ejes centrales. Cada paquete puede tomar una ruta distinta, de forma que los paquetes de correo pueden llegar a su destino desorganizados.

Router

bsmith@que.com

ajones@que.com

Reflector de correo

4 Utilizando una lista de correo, puede enviar un solo mensaje a un grupo de personas. Un reflector de correo es el programa que se ejecuta en ordenador de Internet y dirige el correo a los miembros de una determinada lista de correo. En un tipo distinto de lista de correo, conocido como *listserv*, se subscribe a una lista de correo enviándole su dirección de email. Recibirá todos los mensajes que todos los miembros envían a la lista. En otro tipo de listas de correo electrónico en las que puede suscribirse, recibirá solo el correo que envía una sola persona; sólo esa persona puede enviar correos a la lista. Con frecuencia, los boletines de noticias electrónicos se distribuyen de esta forma.

smith@que.com

5 Utilizando Internet, se pueden intercambiar correos electrónicos entre todos los servicios online principales, los tablones de anuncios informáticos y otras redes. Desde Internet, puede enviar correos electrónicos a cualquiera de esas redes, y a la inversa, puede enviar correos desde cualquiera de esas redes a Internet. Cuando el correo se envía desde una de esas redes a otra, con frecuencia debe pasar a través de Internet como forma de dirigir el correo.

Consígueme
xyz.zip

Servidor FTP

FTPFTP

mt3d@que.com

xyz.zip

Servicio online A

Servicio online B

Servicio online C

Cómo funciona el software de correo electrónico

1 Después de que Internet entrega el correo en su bandeja de entrada, necesita alguna forma de leer el correo, escribir nuevos mensajes y responder a los que le llegan. Para hacerlo, se utiliza un software de correo electrónico, en ocasiones denominado gestor de correo electrónico.

Servidor de correo

2 Cuando alguien le envía un mensaje de correo electrónico por Internet, el mensaje no llega directamente a su ordenador. En primer lugar llega a un servidor de correo. Su software de correo electrónico accede a dicho servidor de correo y comprueba si tiene correo.

< **new mail from Preston** (pgralla@gralla.com)

< **new mail from unknown**

< **new mail from Increase Your ENERGY!!!!!!!!** (spam flag)

< **new mail from Preston** (pgralla@gralla.com)

< **new mail from noe@othermailcomm.net**

< **new mail from Lower Your Monthly Rate!!!**

< **new mail from Que** (smcmb@que.publishing.com)

< **new mail from Jeb** (jeb132@morenet.com)

-- **viewed mail from Michael**   mt@m-troller.com

-- **viewed mail from Que** lc31@que.publishing.com

-- **viewed mail from Talent Scout** judyk@supersniper.com

-- **new mail from Preston** (pgralla@gralla.com)

3 Si tiene nuevo correo, verá una lista de sus nuevos mensajes de correo electrónico cuando acceda al servidor. Con frecuencia podrá ver el nombre del remitente, el asunto del mensaje y la fecha y la hora en la que fue enviado.

Sí, aquí está

4 Cuando desee leer su correo nuevo, sólo tiene que decirle a su software que lo descargue a su ordenador. Allí, puede leer el mensaje utilizando su gestor de correo, y después puede archivarlo, eliminarlo o escribir una respuesta.

¿Tengo correo?

5 El software de correo electrónico le permite hacer cosas como crear carpetas para almacenar correo, llevar a cabo búsquedas por sus mensajes, tener una agenda de los correos de las personas a las que les envía emails, crear listas de correo y añadir una firma a los archivos, entre otras.

6 La mayoría del software de correo electrónico lee las páginas basadas en HTML que se le envían, de forma que pueda recibir en su buzón páginas Web que conserven todo su formato. Cuando hace clic en los enlaces que contienen, su explorador abre y visita la página a la que están vinculados.

OUT
IN
WORK

ADDRESS BOOK

<< **ADD TO YOUR LIST**

Noel Voskuil

Preston Gralla

Michael Troller

Alan Prezeskien

Stephen Collicisan

Laureen Niehoff

patients

Connecting Imaging Centers and Hospitals with Physicians and Patients

johnp@aol1.com

miagralla@prodigy.com

johnjames@neti.com

billybob@sun.com

jqpublic@usa.gov

asmith@jupiter.com

fredg@tozikal.net

janeq@aol1.com

sallyroto.com

Cómo funciona una lista de correo

1 Las listas de correo permiten que grupos de personas hablen de determinados temas públicamente a través del correo electrónico. Una vez que se une a una lista de correo electrónico, todos los mensajes que escriba en la lista pueden ser leídos por todas las personas que pertenezcan a ella.

2 Para formar parte de una lista de correo, debe suscribirse a ella. Para hacerlo, tiene que enviar un mensaje de correo electrónico al administrador de la lista de correo y pedirle que le una a la lista. Si desea cancelar la suscripción a la lista, debe enviar una petición de cancelación al administrador de la lista.

Petición de suscripción de:
gabegralla@znet.com

3 La propia lista de correo es una base de datos de direcciones de email de las personas que se han suscrito a ella. Cuando envía una petición para suscribirse a ella, se le añade a esta base de datos.

4 Cuando el ordenador en el que se ubica la base de datos recibe un mensaje que ha de enviarse a la lista de correo, automáticamente dirige el mensaje a todas las direcciones contenidas en la base de datos de la lista de correo. Algunas listas de correo son muy activas, y la gente puede recibir docenas de mensajes todos los días. Por esta razón, es una buena idea comprobar su correo con frecuencia, y limpiar su buzón. De lo contrario, puede saturar su servidor de correo, lo que le puede dificultar la lectura de su email, porque tendrá enormes cantidades de mensajes.

miagralla@prodigy.com

johnjames@neti.com

billybob@sun.com

gabegralla@zdnet.com

jqpublic@usa.gov

asmith@jupiter.com

fredg@tozikal.net

janeq@aol1.com

sallyr@goto.com

Ahora ya forma
parte de la lista de
correo sobre fútbol

Enviar
mensaje

¿Preparado
para la temporada
de fútbol?

Enviar
mensaje

Enviar
mensaje

Enviar
mensaje

Enviar
mensaje

Enviar
mensaje

Router interno

Cómo se envía correo electrónico entre redes

1 Cuando envía un mensaje de correo electrónico, primero es dividido por el protocolo TCP de Internet en paquetes IP. Estos paquetes se dirigen entonces a un router interno que examina la dirección. (Hay un router interno dentro de su red, en lugar de situarse en Internet.) Basándose en la dirección, el router interno decide si el mail se envía a alguien de la misma red o a alguien de fuera de la red. Si el correo va dirigido a alguien que se encuentra en la misma red, se le entrega el correo.

2 Si el correo está dirigido a alguien fuera de la red, podría tener que pasar a través de un firewall (un ordenador que protege la red de Internet, de forma que los intrusos no puedan entrar en la red). El firewall sigue la pista de los mensajes y de los datos que entran y salen de la red, desde y a Internet. También puede evitar que ciertos paquetes pasen por ella.

Pasarela

Firewall

3 Una vez en Internet, el mensaje se envía a un router de Internet. El router examina la dirección, determina dónde debería enviarse el mensaje y, a continuación, envía el mensaje por la ruta adecuada.

Router interno

Firewall

4 Una pasarela situada en la red receptora recibe el mensaje de correo electrónico. Esta pasarela utiliza TCP para reconstruir los paquetes IP y convertirlos en un mensaje completo. A continuación, la pasarela traduce el mensaje al protocolo que la red meta utiliza y lo envía. Es posible que el mensaje tenga que pasar también por un firewall en la red receptora.

Pasarela

5 La red receptora examina la dirección de correo electrónico y envía el mensaje al buzón adecuado.

Received

Cómo puede la encriptación mantener la privacidad de su correo electrónico

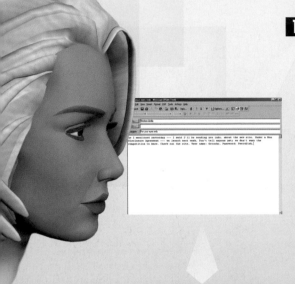

1 Se puede utilizar la encriptación para codificar los mensajes de correo electrónico, de forma que ni los intrusos ni los piratas informáticos puedan leerlos en su trayecto por Internet. Existen muchos tipos de encriptación, pero el más común es en el que se utilizan claves. A todo el mundo se le proporciona una clave pública y privada. La clave pública está disponible para que cualquier persona pueda utilizarla con el fin de cifrar el correo electrónico; la clave privada sólo es utilizada por el receptor para descifrar el mensaje. Esta ilustración muestra cómo cifrar email con el popular programa de encriptación PGP (*Pretty Good Privacy*). Para empezar a utilizar PGP, una persona utiliza su programa de correo electrónico normal para escribir un correo. Una vez escrito, decide si desea cifrar el mensaje.

2 Cuando alguien decide cifrar un correo electrónico, debe tener una copia de la clave pública de la persona a la que va a enviar el mensaje. Esa clave se puede obtener de distintas formas: desde un sitio público de Internet, o el propio destinatario puede enviarlo a través de un email. Una vez que la persona tiene la clave, la almacena en su ordenador, y puede acceder a ella en cualquier momento.

3 Una vez escogida la clave de la persona que recibirá el mensaje, dicho mensaje se codifica utilizando la clave pública de dicha persona.

6 La clave privada descifra el mensaje, y la persona a la que va dirigido puede leerlo y utilizarlo como cualquier otro email.

5 El destinatario recibe el email como cualquier otro correo. Sin embargo, este mensaje está cifrado, por lo que no puede leerlo todavía. A continuación, la persona utiliza su clave privada para decodificar el mensaje. Antes de poder hacerlo, normalmente hay que escribir una contraseña para la clave privada. Sin embargo, algunos programas de correo electrónico y software de encriptación pueden configurarse de forma que el mensaje se descifre de forma automática en cuanto se recibe.

4 El mensaje encriptado se envía de la misma forma que cualquier otro email. La diferencia es precisamente ésa, que el mensaje está codificado, por lo que cualquiera que lo lea mientras viaja por Internet no podrá comprenderlo; sólo verá caracteres aparentemente aleatorios.

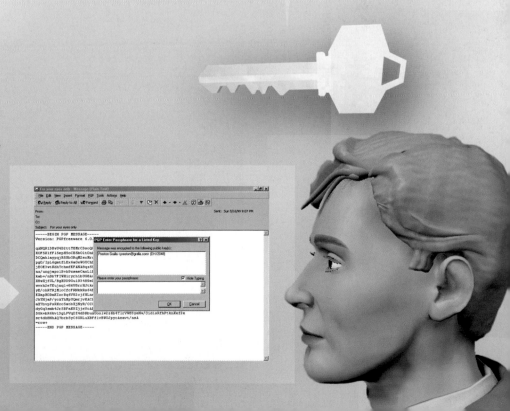

12

Cómo funciona el correo basura (spam)

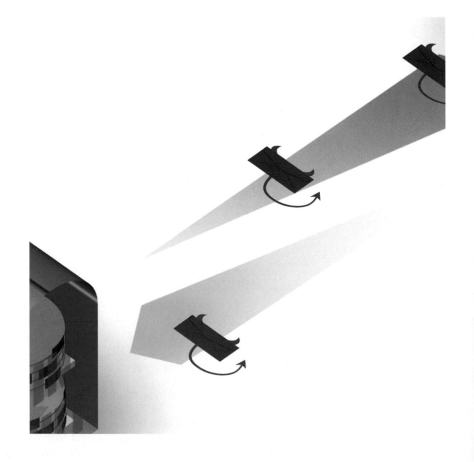

UNO de los temas más polémicos sobre Internet, surgido en los últimos años, tiene que ver con lo que los usuarios de Internet denominan *spam*. El *spam* es un correo basura de propaganda que las empresas envían, pidiéndole que compre sus productos o contrate sus servicios. A veces puede contener incentivos para que visite el sitio Web del vendedor. El email contiene normalmente un número de teléfono al que puede llamar, una dirección a la que enviar dinero o un sitio Web en el que se venden los productos y los servicios. Cada vez con mayor frecuencia, el *spam* incluye también contenido pornográfico y timos.

El término *spam* procede de un sketch de los Monty Python en el que todos los alimentos de un menú contenían fiambre de cerdo enlatado marca Spam. Originalmente se utilizaba para hacer referencia a propaganda de productos comerciales o servicios que aparecían en Usenet, especialmente cuando se enviaban a varios grupos de noticias de forma simultánea.

El *spam* puede parecer una molestia sin importancia, pero la verdad es que puede causar graves problemas. El *spam* inunda Internet con correo no deseado, lo que puede hacer que el correo se retrase o se pierda. Atasca los conductos de Internet, haciendo que sea más lento enviar otro tipo de información. Hace perder el tiempo a las personas que tienen que ir a su buzón de correo para eliminar este correo basura, especialmente cuando pagan el servicio de email por hora. Además, es bastante normal que los autores de este tipo de correo (en inglés, denominados *spammer*) oculten sus verdaderas direcciones de email escribiendo los nombres de otras personas en los encabezados **Para** y **De** en un mensaje de correo electrónico. Así, es posible que las personas cuyo nombre se ha falsificado sean el objetivo de este correo basura. Esto hace que sea difícil para los webmasters y los administradores de correo filtrar los mensajes *spam* basándose en su procedencia o en el nombre de dominio. En ocasiones, estos *spammer* utilizan incluso los servidores de otras personas para enviar su correo masivo; en esencia, lo que hacen es obligar a que otras personas paguen los costes del envío del correo del *spammer*.

El *spam* implica también otros peligros. Con frecuencia, este tipo de correo se utiliza para timar (en inglés, el término específico es *scam*) a víctimas que no sospechan nada, por ejemplo, enviándoles emails falsos diciendo que alguien necesita que accedan a su banco, y enviando a continuación a la persona a un sitio falso. El autor de tal mensaje procede entonces a robar información financiera (una técnica denominada *phishing* o suplantación de identidad).

En algunos aspectos, el *spam* no se diferencia mucho del correo basura tradicional. Los *spammer* compran o reúnen listas masivas de direcciones de correo electrónico, de la misma forma que los remitentes de correo basura tradicional compran o reúnen direcciones postales. El *spammer* utiliza un software especial para enviar una solicitud a todas las personas incluidas en la lista, con frecuencia decenas de miles de correos en un solo mailing de *spam*. Para ocultar sus verdaderas identidades, los *spammer* ponen nombres falsos en los encabezados de los emails, o incluso transmiten su *spam* a otro servidor de correo en Internet, de forma que sea imposible saber de dónde procede el mensaje. Normalmente el usuario pedirá que se le elimine de la lista contestando a las direcciones de correo electrónico proporcionadas por los *spammer*. Sin embargo, esta acción verifica la dirección del usuario, lo que le llevará a recibir todavía más correo basura.

Se han ideado diversos métodos para bloquear este tipo de correo, entre los que se incluyen la instalación de filtros en el software de correo electrónico que ignoren todos los correos procedentes de *spammer* conocidos. El software también examina el contenido de los mensajes de correo para intentar determinar si se trata de *spam*. Asimismo, algunos países ya han aprobado legislación anti-*spam*. Pero las leyes no resultan particularmente eficaces, así que la mejor forma de protegerse es instalando un software anti-*spam*.

Cómo se envía el spam

1 *Spam* es un término utilizado para describir todo correo publicitario no solicitado que se le envía, con frecuencia firmas comerciales que tratan de venderle productos y servicios. El *spam* se envía como correo masivo, normalmente a listas de 10.000 personas o más a la vez. Resulta muy barato de enviar, por lo que su utilización ha sido todo un boom en Internet, hasta el punto de que lo normal es que recibamos varias docenas de estos mensajes en un solo día. El *spam* se ha convertido en una molestia de tales dimensiones que justifica las peticiones para que se prohíba por completo.

05/21	CONTINENTAL.COM	URGENT MESSAGE
05/21	Cf@mailaol.co	Classmeister 5.0 + Special Offer (com/msg)
05/21	OIL.PATCH.MARKET	E-MAIL LIST FOR SALE GETS RESULTS QUICKLY
05/22	4063986@us.net	~~~ Cable Television Descrambler - Easy To Make !!!
05/22	seanpage@infocom	Business Offer!!!
05/25	TheCreditMan@big	You Are Guaranteed Credit
05/25	Jill the coy one	4 Million Email Addresses For Sale
05/26	dospub@www.usa.c	publish at home
05/27	Unknown@unknown	This is awesome!
05/27	56369130@swbell.	WANT REVENGE - Get It Right Here - FREE SAMPLES !!!
05/28	To Embrace	A Surprise Birthday Party And Gift For YOU :-)))))
05/29	kat@hol.gr	adults only
05/29	connect@internet	Qualify For Survey Sweepstakes Win $25!

2 Para enviar correo basura de manera masiva, un *spammer* necesita, en primer lugar, conseguir una lista de direcciones de correo electrónico. Normalmente se las compran a empresas que se dedican a recopilarlas. Estas empresas utilizan robots de software automatizado para obtener estas direcciones de correo electrónico. El robot consigue las listas de distintas fuentes. Una es entrando en los grupos de noticias de Usenet y extrayendo estas direcciones de email mirando dentro de cada mensaje, que normalmente contiene la dirección de correo electrónico de la persona que lo envió.

Lista de correo masivo

Conseguir direcciones de email

AÑADIR: todas las direcciones

3 Las direcciones de correo electrónico pueden conseguirse también de los directorios de correo electrónico de los sitios Web, que permiten que las personas encuentren direcciones de email de otras personas. Los robots de software pueden acceder al directorio y hacerse con cualquiera de las direcciones incluidas en él. Los robots también pueden entrar en áreas de chat, como las de America Online, y reunir direcciones de email.

Conseguir direcciones de email

AÑADIR: todas las direcciones

salmon@earthlink.com

nvoski@pacbell.net

welt@well.com

vegrebski@excite.com

ncsof@webtv.net

straxy@vets.org

lclm51739@aol1.com

stevej@apple.com

johnh@liberty.net

alxop1@webtv.net

corpflak@msn.com

sillysam7@kidstoys.net

morm@cheerybar.com

johnqp@prodigy.com

eatright3@heath.com

qwertz@yahoo.com

aiken@unity.net

triweb@li.com

zgooby@znakz.com

joanh@juno.com

hotrod99@fastcar.com

richir@kerbanko.com

morefun@home.com

rebar@builder.org

freddie592@aol1.com

strand@femtonet.com

xtheria@fast.com

george@whths.gov

bigboat@nautilus.com

travelr@trips.fun.com

boffo@snafu.com

yabbadabba@aol1.com

morepower@scottie.com

bigdaddy@lukas.com

laurien@sonice.com

4 Algunos *spammer* incluyen en el email una dirección de respuesta a la que las personas que no desean recibir más *spam* pueden enviar un mensaje para ser eliminados de la lista. Cuando se recibe un mensaje de este tipo, un robot elimina a la persona automáticamente de la lista. Sin embargo, los *spammer* raramente lo hacen, porque la mayoría de la gente optaría por no figurar en las listas de correo no deseado.

5 El *spammer* bien compra la lista de correo electrónico o bien compila una él mismo. A continuación, utiliza esta lista, junto con el software de envío de correo masivo, y envía un correo electrónico no deseado a todas las personas incluidas en la lista. El mensaje puede incluir una dirección de respuesta, un sitio Web o un número de teléfono donde el receptor puede conseguir más información sobre los productos y los servicios que se venden.

Elimíname

Servidor de correo masivo

Servidor de correo

6 Los *spammer* saben que estos correos basura le resultan desagradables a la mayoría de la gente, por lo que hacen todo lo posible para ocultar sus verdaderas direcciones de correo electrónico. Una de las formas para hacerlo es "falsificar" partes del encabezado del mensaje en una dirección de email, como los campos **De**, **Para** y **Responder** de forma que parezca que el email procede de otra persona.

7 Otra forma utilizada por los *spammer* para ocultar sus direcciones de email reales es transmitiendo su correo basura masivo a un servidor que no esté asociado con ellos, y hacer que este servidor envíe el mensaje masivo. En ocasiones, los *spammer* transmiten sus correos a distintos servidores, para que sea todavía más difícil seguir la pista para descubrir quién envió realmente el correo.

Servidor de correo

Cómo se bloquea el correo basura (spam)

Elimíname

1 El correo electrónico no deseado puede detenerse de diversas formas. La primera forma, y, la menos útil, es responder al emisor del mensaje y pedirle que le elimine de la lista de *spam*. Como algunos *spammer* hacen todo lo posible para ocultar sus verdaderas direcciones de correo electrónico, esto no siempre es posible. Con frecuencia las direcciones de correo electrónico que le proporcionan para eliminar su nombre de la lista son direcciones inactivas.

janed@aol1.com
salmon@earthlink.com
mvdd2@pached.net

mcsuf@weks.net
straxy@vcts.org
johns1739@aol1.com
stevej@apple.com
johnh@liberty.net
alxop1@webtv.net
corpflag@msn.com
sillyspam7@kidstoys.
morin@cheeryba
johnqp@prodi
eatright3@he
qwertz@yaho
aiken@unity.n
triweb@li.com
zgooby@znak
joanh@juno.co
hotrod99@fas
richir@kerban
morefun@home.
rebar@builder.org
freddie592@aol1.com
strand@iemtonet.com
s.neria@fast.co
george@whtis
bigbi
traxel
boffo@nfu.co
yabbad

Dirección no válida

Elimíname

Spam rechazado

Spam rechazado

SPAM

2 Cierto software de correo electrónico le permite filtrar mensajes procedentes de determinadas direcciones; cuando llegan emails procedentes de dichas direcciones, su software de email no le permitirá el acceso. Esta característica se denomina filtro de *spam*. Siempre que reciba un correo electrónico no deseado, puede añadir esa dirección a su filtro de *spam*, y no volverá a recibir nunca un mensaje de dicha dirección. Sin embargo, estos filtros no siempre funcionan, porque los *spammer* con frecuencia cambian sus direcciones y falsifican los campos **De**, **Para** y **Responder** en el encabezado del mensaje. Los servicios online, como America Online, le permitirá bloquear el correo procedente de cualquier dirección que usted especifique; en esencia, se trata de un filtro de *spam* para aquellos que utilizan este servicio. Además, algunos proveedores de Internet (ISP) bloquean este correo electrónico no deseado. Asimismo, cierto software anti-*spam* funciona examinando el contenido del correo electrónico, en busca de indicios reveladores de correo basura.

EMAIL FILTER
Engaged
BIG CASH NOW!!!!!!!!
VIAGRA ONLINE CHEAP!!!

Tabla de enrutamiento

12.73.125.001	OK
12.15.50.211	SPAM ●
124.5.65.0	OK
135.225.11.12	OK
325.121.25.1	SPAM ●
700.102.231.95	OK
635.31.125.124	SPAM ●
461.48.64.111	SPAM ●

3 Los ISP y los servicios online pueden evitar que los *spammer* envíen correos masivos a sus abonados. Un router examina todo el correo entrante al ISP o al servicio online. Al router se le ha indicado que, cuando lleguen mensajes de determinadas direcciones, debería bloquear dicho correo y evitar que acceda a la red. Estas direcciones se incluyen en una tabla de enrutamiento que puede modificarse cada vez que se identifiquen nuevos *spammer*. Los ISP cuentan también con diversos métodos para detectar el correo basura.

4 Como los *spammer* cambian sus direcciones con frecuencia, la utilización de tablas de enrutamiento no siempre resulta de utilidad. Los servicios online y los ISP han llegado a los tribunales para prohibir que los *spammer* envíen correos a sus clientes. Aunque la ley sigue sin ser muy clara, en diversos casos los tribunales han fallado a favor de los servicios online y de los ISP y han prohibido a los *spammer* enviar emails a través de ellos.

I AM SPAM

5 Se han propuesto diversas leyes y proyectos para regular o ilegalizar el *spam*. En uno de esos proyectos, todos los mensajes de *spam* tendrían que contener información específica en el encabezado del mensaje, identificándolos como correo publicitario no deseado. De esta forma, las personas podrían configurar sus filtros de *spam* para que bloquearan todos los mensajes de este tipo, utilizando esa información para filtrarlos. Se han propuesto algunas leyes que declararían el *spam* ilegal completamente, de la misma forma en la que se prohibieron los faxes basura.

6 Una de las formas de evitar la recepción de estos mensajes es asegurarse de que su dirección de email no se añade a las listas de *spam*. Para ello, cuando participe en grupos de noticias de Usenet, edite el encabezado de sus mensajes de manera que no contenga su dirección de correo electrónico. Además, debería notificar a los directorios de email que le gustaría ser eliminado de sus listas. De esta manera, su dirección de correo electrónico no será capturada por los robots, lo que hará que reciba menos correo basura.

USENET
From: No header

CAPÍTULO

13

Cómo funcionan la mensajería instantánea y el chat en Internet

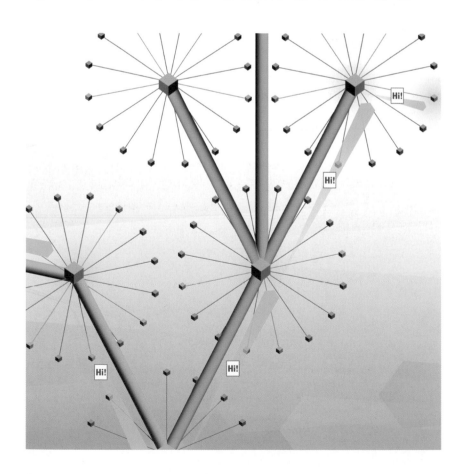

UNA de las formas más inmediatas de comunicarse con otras personas a través de Internet es participando en conversaciones de chats en directo. El chat no hace referencia a personas que hablan y escuchan las voces de los demás, como podría sugerir este término inglés. Significa que se llevan a cabo "conversaciones" a tiempo real a través del teclado con otras personas en Internet, es decir, usted escribe las palabras en su ordenador y otras personas en Internet ven esas palabras en sus ordenadores de forma inmediata, y viceversa. Puede chatear con muchas personas de todo el mundo simultáneamente.

Existen distintas formas de chatear en Internet, pero una de las más populares se denomina IRC (*Internet relay chat*). Todos los días, miles de personas de todo el mundo hablan sobre distintos temas a través de IRC. Cada uno de los temas se denomina canal. Cuando se une a un canal, puede ver lo que el resto de las personas que se encuentran en el mismo canal escriben en sus teclados. A su vez, todos los que se encuentren en el canal podrán ver lo que usted escribe en el suyo. También puede mantener conversaciones a nivel individual con alguien. Existen canales en diversos servidores por todo el mundo. Algunos de estos servidores tienen pocos canales, y otros muchos.

IRC ha facilitado las comunicaciones en el transcurso de desastres naturales, guerras y otras crisis. En 1993, por ejemplo, durante el intento de golpe de estado comunista en Rusia, cuando los legisladores rusos se atrincheraron dentro del edificio del Parlamento, se configuró un "canal de noticias" de IRC para emitir comunicados a tiempo real, en primera persona, de cómo se sucedían los acontecimientos.

IRC sigue un modelo cliente/servidor, lo que significa que tanto el software de cliente como el del servidor tienen que utilizarlo. Hay muchos clientes IRC disponibles para distintos tipos de ordenadores, por lo que puede utilizar IRC tanto si tiene un PC, un Macintosh o un terminal Unix.

Su cliente IRC se comunica con un servidor IRC en Internet. Puede entrar en un servidor utilizando el cliente y seleccionando el canal en el que quiere chatear. Cuando escriba palabras en su teclado, se enviarán al servidor. El servidor forma parte de una red de servidores IRC global. El servidor envía su mensaje a otros servidores que, a su vez, envían sus mensajes a las personas que forman parte de su canal. Entonces, ellos podrán leer su mensaje y responder.

Existen otras formas de chatear por Internet. Por ejemplo, muchos sitios Web utilizan software de chat patentado que no utiliza el protocolo IRC, pero que le permite chatear cuando se encuentre en el sitio.

Hay otro tipo de chat que se denomina mensajería instantánea. La mensajería instantánea le ofrece una comunicación privada, de tú a tú, con otra persona. Puede crear listas especiales que le informen del momento en el que sus colegas se conectan y están preparados para chatear, y a ellos les informará de cuándo se encuentra usted en línea.

Cómo funciona IRC

1 IRC es un medio a través del cual personas de todo el mundo pueden chatear entre sí utilizando sus teclados. Las palabras escritas se transmiten de forma instantánea a ordenadores de todo el mundo, donde los receptores pueden leerlas. Este proceso se lleva a cabo a tiempo real, por lo que se pueden ver las palabras en el momento en el que se escriben.

2 IRC se ejecuta basándose en un modelo cliente/servidor. En consecuencia, para utilizarlo, necesitará contar con el software de cliente en su ordenador. Hay muchos clientes IRC disponibles para PC, Macintosh y terminales Unix, así como para otros tipos de ordenadores.

3 Cuando desee chatear, tiene que conectarse a Internet y, a continuación, abrir su software de cliente. Después, debe entrar en un servidor IRC ubicado en Internet. Existen muchos servidores IRC localizados por todo el mundo. Están conectados entre sí en una red de manera que pueden enviarse los mensajes de uno a otro. Los servidores están conectados en forma de árbol de expansión, en el que cada servidor está conectado a varios de los otros, pero no todos los servidores están directamente conectados entre sí.

Servidor IRC

Hi!

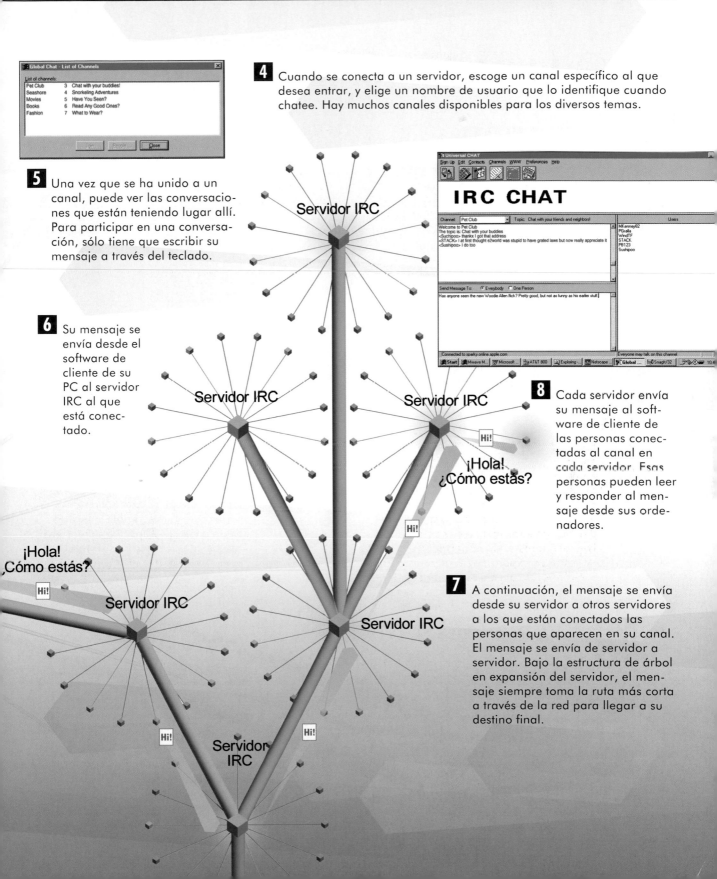

4 Cuando se conecta a un servidor, escoge un canal específico al que desea entrar, y elige un nombre de usuario que lo identifique cuando chatee. Hay muchos canales disponibles para los diversos temas.

5 Una vez que se ha unido a un canal, puede ver las conversaciones que están teniendo lugar allí. Para participar en una conversación, sólo tiene que escribir su mensaje a través del teclado.

6 Su mensaje se envía desde el software de cliente de su PC al servidor IRC al que está conectado.

8 Cada servidor envía su mensaje al software de cliente de las personas conectadas al canal en cada servidor. Esas personas pueden leer y responder al mensaje desde sus ordenadores.

7 A continuación, el mensaje se envía desde su servidor a otros servidores a los que están conectados las personas que aparecen en su canal. El mensaje se envía de servidor a servidor. Bajo la estructura de árbol en expansión del servidor, el mensaje siempre toma la ruta más corta a través de la red para llegar a su destino final.

Cómo funciona la mensajería instantánea

1 La versión de Internet de AIM (mensajería instantánea de America Online), uno de los sistemas de mensajería instantánea más populares, funciona como un software de cliente en su ordenador. Para utilizarlo, debe estar conectado a Internet. Cuando se ejecuta el software, se abre una conexión TCP a un servidor de acceso a la mensajería instantánea. Este software envía su nombre de identificación y su contraseña a través de la conexión para proporcionarle acceso al servidor.

4 Cuando establece una conexión con el servidor AIM, su software de cliente envía una lista de sus colegas al servidor. El servidor comprueba si alguno de ellos está conectado, y continúa haciendo esto todo el tiempo que usted esté ejecutando el software en su ordenador. Si usted cambia la lista de sus contactos durante la sesión, esa información también se envía al servidor, de forma que pueda seguir la pista de nuevos colegas e ignorar a aquellos que usted haya eliminado de la lista.

3 El software de mensajería instantánea incluye capacidades de listas de contactos. Esto significa que usted tiene una lista de las personas a las que desea enviar mensajes instantáneos y, cuando se conectan, se le notifica, de forma que pueda enviarles mensajes y recibir mensajes instantáneos de ellos. Para crear esa lista de contactos en su software AIM, tiene que añadir los nombres de identificación de sus colegas.

¡Genial! Lizard está conectado

¡Hola Mia! ¿Te apetece que nos veamos la semana que viene?

¡Claro! El mejor día sería el lunes. Hablamos más tarde y lo confirm

5 Cuando uno de sus contactos ejecute AIM y acceda al sistema, su software de cliente le informará de que está online. Ahora puede enviarle mensajes y recibir los suyos de forma instantánea.

2 El servidor comprueba su nombre de identificación y su contraseña. Si son correctos, el servidor de acceso le ordena al software de mensajería instantánea que cierre la conexión para el servidor de acceso y abra una nueva conexión en un servidor AIM diferente, que se ocupará de gestionar su sesión de mensajería instantánea. Esta conexión utiliza un protocolo de comunicaciones especial que tiene en cuenta la funcionalidad de AIM, incluyendo la mensajería instantánea, el chat, la transferencia de archivos y el chat a través de vídeo.

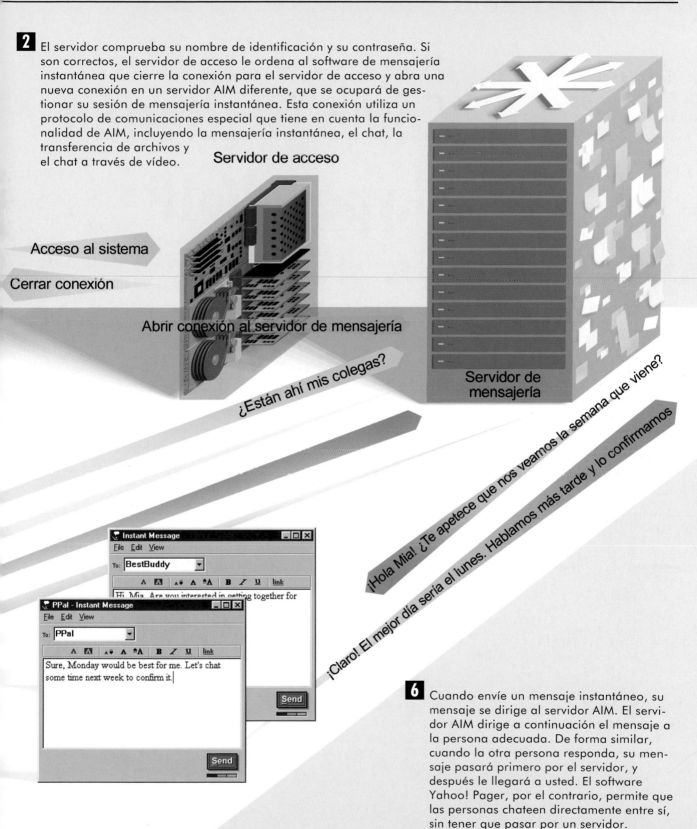

Servidor de acceso

Acceso al sistema

Cerrar conexión

Abrir conexión al servidor de mensajería

¿Están ahí mis colegas?

Servidor de mensajería

¡Hola Mia! ¿Te apetece que nos veamos la semana que viene?

¡Claro! El mejor día sería el lunes. Hablamos más tarde y lo confirmamos

Instant Message

File Edit View

To: BestBuddy

A A A A A **B** *I* U link

Hi, Mia. Are you interested in getting together for

PPal - Instant Message

File Edit View

To: PPal

A A A A A **B** *I* U link

Sure, Monday would be best for me. Let's chat some time next week to confirm it.

Send

Send

6 Cuando envíe un mensaje instantáneo, su mensaje se dirige al servidor AIM. El servidor AIM dirige a continuación el mensaje a la persona adecuada. De forma similar, cuando la otra persona responda, su mensaje pasará primero por el servidor, y después le llegará a usted. El software Yahoo! Pager, por el contrario, permite que las personas chateen directamente entre sí, sin tener que pasar por un servidor.

CAPÍTULO

14

Cómo funcionan
Skype y VoIP

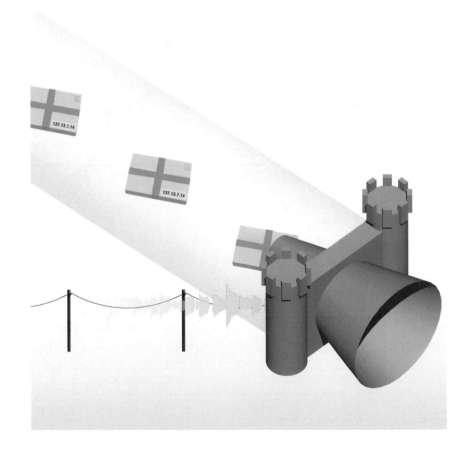

INTERNET ha sido pionera en una gran cantidad de nuevas formas de comunicación, como el email, el chat y los grupos de noticias. Pero también puede utilizarse para posibilitar el uso de algunas comunicaciones más antiguas: puede hacer llamadas telefónicas utilizando Internet. Cuando lo hace, el sonido de su voz y de la de la persona con la que está hablando se divide en paquetes. Estos paquetes se entregan utilizando el protocolo TCP/IP de Internet.

La técnica para hacer llamadas telefónicas utilizando Internet se denomina Voz sobre IP (VoIP), porque utiliza TCP/IP para hacer llegar la información de la voz.

Existen una enorme cantidad de formas de utilizar VoIP. En lo que es quizá la técnica más revolucionaria, usted llama directamente de un ordenador a otro. En realidad, no se utiliza el teléfono. En lugar de eso, usted habla a un micrófono conectado a su ordenador y escucha utilizando altavoces y una tarjeta de sonido o unos auriculares o incluso un teléfono conectado a su ordenador a través del puerto USB.

Cuando realiza una llamada de ordenador a ordenador, no tiene que pagar por la llamada de teléfono. Además, puede hacer llamadas a cualquier lugar del mundo, sin que le cueste nada. La única condición es que las dos partes tienen que estar utilizando el mismo software VoIP, por ejemplo, el popular Skype, o las capacidades de voz sobre IP incluidas en muchos programas de mensajería instantánea como Yahoo Messenger o America Online Instant Messenger. Este software está disponible de forma gratuita.

Skype y servicios similares le permiten realizar llamadas desde su PC a teléfonos fijos o móviles. Cuando hace llamadas así, su llamada viaja principalmente por Internet, y sólo al final entra en la red telefónica convencional. Estas llamadas no son gratuitas, pero son muy baratas, especialmente si se comparan con las tarifas de las llamadas internacionales. Suelen costar sólo unos pocos céntimos por minuto entre la mayoría de los lugares del mundo.

VoIP no tiene que utilizarse sólo con ordenadores. Cada vez con mayor frecuencia, esta tecnología se utiliza conjuntamente con auriculares de teléfono especiales que no necesitan conectarse a un ordenador. El famoso servicio Vonage utiliza este tipo de tecnología. Con Vonage y servicios similares, un teléfono se conecta a través de un puerto Ethernet a una conexión de red, como un cable módem, un router doméstico o una red corporativa. La llamada utiliza TCP/IP para viajar por la red local, después por Internet, y finalmente pasa a la red telefónica normal más cercana a la ubicación de la llamada. Estas llamadas son más baratas que las llamadas telefónicas normales. Con frecuencia, un servicio mensual de bajo coste incluye las llamadas telefónicas.

VoIP no sólo se utiliza en casa; cada vez es más frecuente su presencia en grandes empresas. La razón es sencilla, el precio. Una compañía no necesita mantener de forma independiente redes telefónicas y redes de datos; una sola red puede gestionar todas las llamadas. Y cualquier llamada que se realice dentro de la red, incluyendo otra ubicación de la empresa al otro lado del mundo, se realiza de forma gratuita.

Cómo funciona VoIP (voz sobre IP)

1 Existen varias formas de utilizar VoIP para llevar a cabo llamadas de teléfono a través de Internet. Esta ilustración muestra un servicio de VoIP como Vonage que realiza llamadas a través de Internet desde un router doméstico, un cable de Internet o una conexión DSL. Es necesario conectar primero un teléfono VoIP especial al router o a una conexión Ethernet.

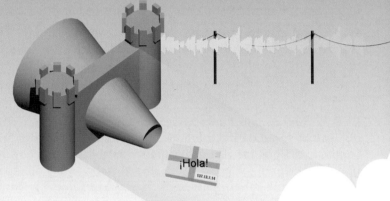

¡Hola!
137.13.7.14

Qué
137.13.7.14

tal
137.13

2 El teléfono VoIP convierte la señal de voz en datos digitales y los comprime. Los comprime porque los archivos de datos de una llamada de voz sin comprimir podrían ser demasiado grandes como para ser entregados de forma correcta a través de Internet.

3 La señal de voz comprimida y digitalizada se divide en paquetes IP.

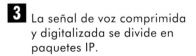

4 Los paquetes se envían a través de Internet de la misma forma que cualquier otro paquete IP, utilizando el protocolo TCP/IP de Internet.

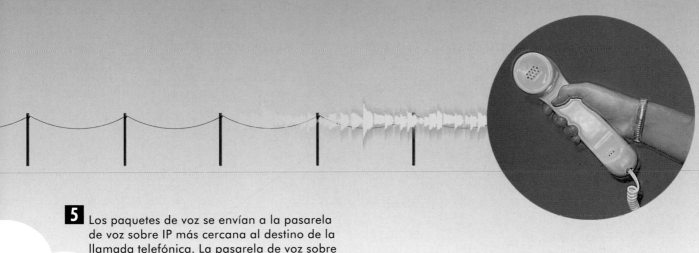

5 Los paquetes de voz se envían a la pasarela de voz sobre IP más cercana al destino de la llamada telefónica. La pasarela de voz sobre IP coge los paquetes de voz, los combina, los descomprime y los vuelve a convertir a su forma original, y, a continuación, los envía a través de la red telefónica pública conmutada.

6 La llamada va a través de esa red telefónica pública, igual que cualquier otra llamada. Cuando la persona del teléfono normal habla, el proceso entero se invierte: la llamada se envía a la pasarela IP, que la comprime, la digitaliza y la divide en paquetes IP, y los envía a través de Internet para que llegue de nuevo a la persona que llama.

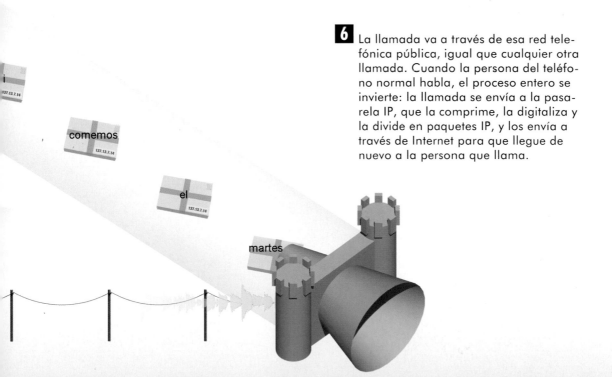

Cómo funciona Skype

1 Skype funciona como un software que se ejecuta en un PC; para ello, tiene que descargar e instalar el software del sitio Web de Skype. El software es gratuito, igual que las llamadas telefónicas que se realizan desde un PC que tiene Skype a otro que también lo tiene. Sin embargo, las llamadas de ordenador a un teléfono convencional cuestan dinero, pero son muy baratas, incluso las internacionales.

2 Se utilizan los altavoces y el micrófono del ordenador para hablar, o puede instalar unos auriculares especiales, o usar un teléfono o unos auriculares conectados al ordenador a través del puerto USB.

3 Cuando ejecuta Skype, tiene que acceder al sistema. Skype es una tecnología de par a par y no utiliza servidor central. En consecuencia, cuando accede por primera vez, automáticamente se conecta a un "supernodo", que es un ordenador normal que ejecuta Skype. Cualquier ordenador con Skype puede convertirse en un supernodo, sin el conocimiento del propietario. El supernodo le envía la información de la caché del servidor, la dirección IP y la información de puertos para los supernodos. Esto le permite conectarse a los supernodos. La información de la caché del servidor se almacena en el registro de Windows.

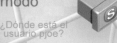

Supernodo

Supernodo

Supernodo

Supernodo

Supernodo

Supernodo

Supernodo

nodo

¿Dónde está el usuario pjoe

¿Dónde está el usuario pjoe?

¿Dónde está el usuario pjoe?

¿Dónde está el usuario pjoe?

¿Dónde es usuario p

¿Dónde es usuario pi

4 El supernodo se pone en contacto con el servidor de acceso que tiene su información, permitiéndole entrar en la red Skype.

5 Cuando desee hacer una llamada a alguien que sepa que se encuentra en la red Skype, haga doble clic en su nombre. Creará una conexión directa con esa persona, y podrán hablar utilizando los auriculares y los altavoces de su ordenador.

6 También puede buscar a gente en la red Skype. La información de búsqueda se envía al supernodo. Si el supernodo tiene la información de contacto de la persona, incluyendo la dirección IP y el puerto, se la envía. Entonces puede llamar a la persona directamente.

7 Si el supernodo no tiene dicha información, conecta con otro supernodo para conseguirla. Los supernodos se ponen en contacto entre sí de este modo de forma continua, hasta que se localiza la información.

8 Skype también permite que las personas hagan llamadas a teléfonos y teléfonos móviles. La llamada viaja inicialmente por Internet. Sólo en la última parte del trayecto, la ubicación más cercana a la persona que se llama, la llamada viaja por la red telefónica convencional o por la red de telefonía móvil.

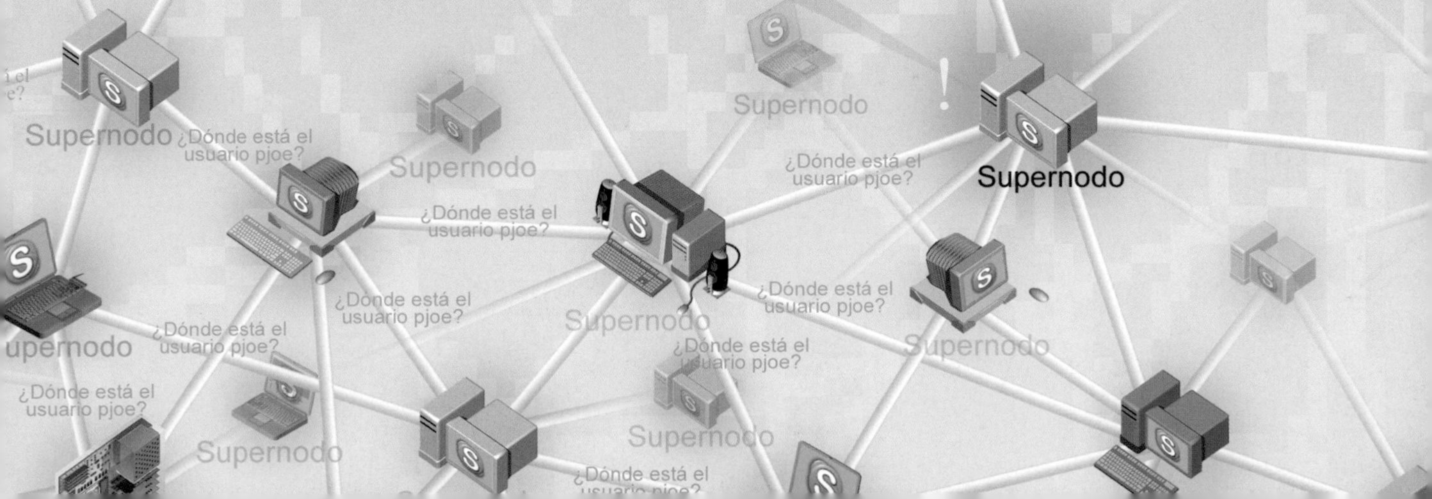

conectar

Supernodo ¿Dónde está el usuario pjoe?

Supernodo

¿Dónde está el usuario pjoe?

¿Dónde está el usuario pjoe?

Supernodo

¿Dónde está el usuario pjoe?

Supernodo

Supernodo

¿Dónde está el usuario pjoe?

¿Dónde está el usuario pjoe?

¿Dónde está el usuario pjoe?

upernodo

¿Dónde está el usuario pjoe?

Supernodo

¿Dónde está el usuario pjoe?

Supernodo

¿Dónde está el usuario pjoe?

CAPÍTULO

15

Cómo funcionan los blogs y el RSS

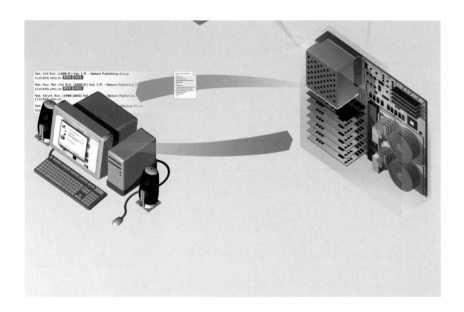

¿CUÁL es la importancia que ha adquirido Internet en relación con la cultura general y la política de nuestro tiempo?

Considere esto: hay personas que creen que las elecciones presidenciales de 2004 entre John Kerry y George W. Bush se decidieron en gran medida por lo que entonces era una tecnología Web emergente, los blogs.

El candidato Kerry fue objeto de un ataque bien coordinado de numerosos blogs, y hay personas que piensan que eso fue suficiente para que la elección se decidiera a favor de George Bush.

Los blogs ya no son una tecnología emergente; impulsados por esas elecciones, se han convertido en una potente fuerza cultural. Entonces, ¿qué es exactamente un blog? Hasta cierto punto, esa pregunta está abierta al debate, pero, en general, la mayoría de la gente está de acuerdo en que un blog está compuesto por entradas individuales en una página Web con forma de diario. Las entradas pueden ser tan cortas como una sola línea o algunas palabras, o incluso un vínculo, o tan largas como múltiples párrafos. Normalmente, aunque no siempre, alguien escribe un blog sobre un tema específico, como la política de Washington o una tecnología determinada. Cada vez con más frecuencia las empresas permiten a sus empleados tener un blog, como forma de personalizar la corporación. Microsoft, por ejemplo, anima a sus empleados a hacerlo. Y Google cuenta con un blog en el que se dan las últimas noticias de la empresa.

Entonces, ¿qué es tan revolucionario en el tema de los blogs? Básicamente, que les proporciona a los usuarios una forma de obtener audiencia para sus opiniones y escritos, sin tener que trabajar para un periódico, revista, cadena de televisión, emisora de radio o una empresa de medios de comunicación. La idea original era que los individuos pudieran expresar sus opiniones sin tener que pasar por una corporación de medios de comunicación, y que, además, pudieran conseguir la información rápidamente, porque no hay que pasar los trámites requeridos normalmente por las compañías de medios de comunicación.

Los blogs funcionan tan bien que muchos de sus usuarios han acabado formando parte de esas grandes empresas de medios de comunicación que inicialmente desdeñaban o han firmado contratos para escribir libros. Algunos se ganan la vida con ellos, vendiendo anuncios en su blog o participando en sitios que agrupan blogs y después venden publicidad.

Además, los medios más importantes han adoptado también los blogs, y muchos periodistas, editores y escritores participan en ellos.

No todos los usuarios de los blogs escriben sobre grandes temas como política y tecnología. Hay incontables personas que reflexionan sobre su día a día, celebrando todas las cosas sencillas y mundanas.

Uno de los primeros problemas surgidos con los blogs llevó a la creación de una tecnología relacionada denominada RSS (*Really Simple Syndication*). Los usuarios de los blogs se enfrentaron a un importante problema: cómo conseguir que la gente visitara sus sitios Web siempre que colgaran una nueva entrada en el blog. Algunos de ellos publican nuevas entradas múltiples veces al día, e incluso si sólo lo hacen una vez al día, resulta difícil convencer a la gente para que pase su tiempo visitando el blog.

La respuesta, RSS, permite que el blog, o partes de dicho blog, lleguen de forma automática a cualquiera sin que esa persona tenga que visitar el propio blog. En vez de eso, la entrada, o partes de la entrada, se leen en un lector RSS especial que se transmite de forma automática y adquiere nuevas entradas en el blog por sí mismo.

Esto no sólo facilita a los usuarios del blog conseguir nueva audiencia, además, hace que sea más sencillo para la gente visitar múltiples blogs en un día. En lugar de tener que visitar una docena de sitios de blogs o más, lo que les llevaría una cantidad sustancial de tiempo, sólo tienen que ejecutar un lector RSS, que adquiere de forma automática todas las entradas de blogs procedentes de muchos sitios diferentes, y permite que se lean directamente en el lector.

Se puede utilizar RSS para mantener actualizadas noticias, aunque su principal utilización sigue siendo la lectura de los blogs.

Cómo funcionan los blogs

1 Un blog está compuesto de una sola página de entradas individuales, normalmente de la misma persona, y con frecuencia escritas en formato de diario. Los blogs tienen generalmente como objetivo un tema específico, como política, tecnología, etc.

2 En general, se utiliza un software o sitios Web especiales para crear un blog. Movable Type es una herramienta de software utilizada comúnmente para crear blogs. Tiene que ser instalada y mantenida en un servidor. Muchas corporaciones y editoriales utilizan Movable Type para permitir que sus empleados o escritores creen blogs.

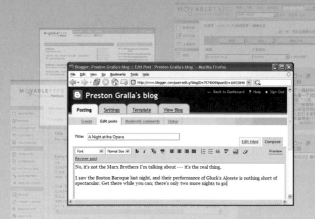

3 La mayoría de las personas crean blogs desde un sitio Web gratuito, como www.blogger.com. Este sitio cuenta con formularios de fácil utilización que ayudan a la gente a crear sus propios blogs.

4 Los blogs pueden leerse de la forma tradicional, haciendo que la gente visite el sitio Web donde se encuentran, pero, con frecuencia, los blogs se leen utilizando un lector RSS. RSS es un formato que ayuda a la gente a leer blogs fácilmente, sin tener que visitar el blog en la propia Web.

5 Cuando alguien actualiza su blog, el software o el sitio Web utilizado para crear el blog utiliza el comando ping en varios servidores RSS para alertarles de que hay una nueva entrada en el blog.

6 Estos servidores alertan a su vez a los sitios Web de búsqueda de que hay nueva información en el blog, haciendo que sea más probable que la gente encuentre el blog y lo lea.

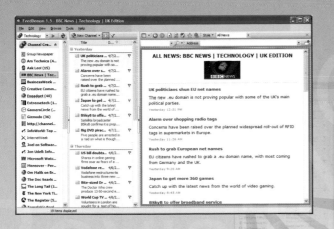

Cómo funciona RSS

1 Antes de poder crear una fuente RSS, necesitamos poner en una página Web el contenido que va a ser el tema de dicha fuente. Con frecuencia, las entradas de los blogs se añaden a través de RSS, pero cualquier información que se cuelga en la red (como artículos de noticias) puede enviarse también utilizando fuentes RSS. La página o el blog se crean como se hace normalmente.

```
<rss version="2.0" xmlns:dc="http://purl.org/dc/elements/1.1/">

  <channel>

    <title>Preston's Picks</title>

    <link>http://www.prestonspicks.com/</link>

    <description>The latest news from Preston, straight toyhou..</description>

    <language>en-us</language>

    <item>

      <title>Black Dogs</title>

      <link>http://www.prestonspicks.com/pub/a/2006/12/04/blackdogs.html</link>

      <description>I recently came across this early novel by Ian McEwan,

      and don't know why I overlooked it –it's one of his best..</description>

      <dc:creator>Preston Gralla</dc:creator>

      <dc:date>2006-12-04</dc:date>

    </item>
```

2 La información que va a agregarse tiene que estar en un formato XML especial. Existen varios tipos de formatos RSS, entre los que destacan Atom y RSS, y cada uno de ellos requiere una codificación XML diferente. Algunos blogs y sitios Web utilizan tanto Atom como RSS, por lo que crean archivos para los dos.

La codificación XML contiene toda la información enviada en la fuente, incluyendo el encabezado, la descripción, un vínculo a la página original para aquellos que quieran leer el blog o el mensaje completo, entre otras cosas.

3 La página XML se coloca en un servidor Web.

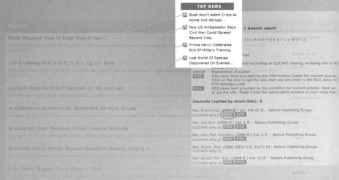

4 Se incluye un vínculo en la página Web que contiene un vínculo a la página XML. Con frecuencia, la página Web muestra también un icono que permite a los visitantes saber que hay una fuente RSS disponible en la página.

5 Cuando alguien visita una página con una fuente RSS que desean leer, hacen clic en el icono o copian y pegan el vínculo de la fuente en un software denominado lector RSS, que obtiene las fuentes RSS. En algunos casos, los sitios Web, como por ejemplo Google Reader (www.google.com/reader) funcionan como lectores RSS.

6 Una vez que se le indica al lector RSS que se suscriba a una fuente RSS, éste comprueba el URL que se ha copiado en él, y adquiere la página XML que contiene.

7 El lector muestra la fuente RSS de forma que el usuario pueda leerla. El usuario puede hacer clic en la fuente para obtener la versión completa del blog o de la noticia. Las fuentes contienen normalmente múltiples entradas, no sólo una, y los lectores RSS pueden leer todas las entradas.

8 Siempre que se actualiza la fuente RSS, ésta utiliza el comando ping en varios servidores RSS para alertarles de que hay nueva información en la fuente. Estos servidores contactan con los sitios Web para informarles de esto, haciendo que sea más probable que la gente encuentre la fuente.

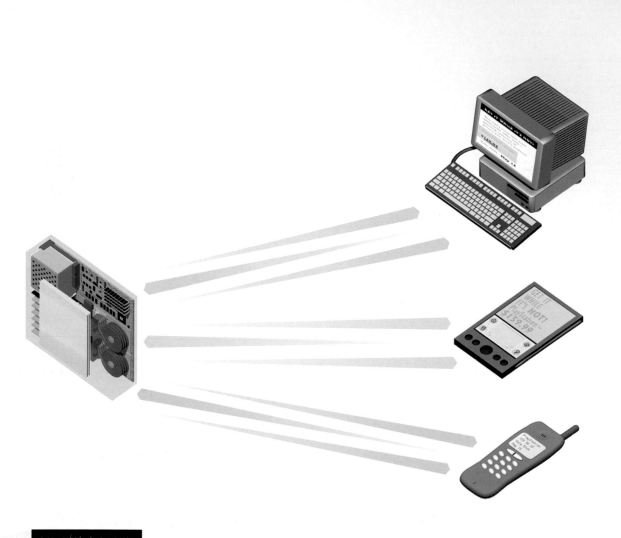

PARTE

4

Cómo funciona la Web

CAPÍTULOS

CUANDO muchas personas utilizan la palabra "Internet", en realidad están hablando de la WWW. La Web es la parte más interesante, más innovadora, más accesible y de más rápido crecimiento de Internet. En gran medida, este explosivo crecimiento de la Web ha sido lo que ha estimulado el enorme interés que tenemos en Internet. Cuando la gente habla de "navegar por la Web", normalmente se refieren a la utilización de la WWW.

En esta sección veremos cómo funciona la WWW, desde las tecnologías más básicas como las páginas Web a otras estructuras más complejas.

Aprenderemos de qué se compone la Web, y veremos cómo funcionan los navegadores Web; además, examinaremos a conciencia los URL (localizador uniforme de recursos) y muchos otros aspectos de la Web y de los navegadores.

El capítulo 16, "Cómo funcionan las páginas Web", trata la parte más básica de la Web. Empezaremos hablando de la tecnología general de la Web y describiremos cómo funciona. Las páginas Web son, en esencia, publicaciones multimedia que incluyen música, audio, vídeo y animación, así como elementos gráficos y texto. Las páginas Web están conectadas a través de un hipertexto que le permite ir de una página a cualquier otra página, y a elementos gráficos, archivos binarios, archivos multimedia y otros recursos de Internet. Para desplazarse de una página a otra, o a otro recurso, sólo tiene que hacer clic en un vínculo de hipertexto.

Este capítulo explica cómo funciona todo, y examina el modelo cliente/servidor de la Web. Le muestra qué ocurre entre bastidores cuando escribe un URL en su navegador (cómo se dirige adecuadamente cualquier información para que pueda visitar el sitio Web que le interese). Además, este capítulo profundiza en la forma en la que están organizadas las páginas Web en un sitio, y en la manera en la que todo el sitio Web funciona como una unidad para hacerle llegar la información.

En el capítulo 17, "Cómo funcionan los navegadores Web" hablaremos de los navegadores. Los navegadores Web son parte de un software que interpreta el lenguaje de la Web, el lenguaje HTML (lenguaje de marcado de hipertexto), y, a continuación, muestra esos resultados en su ordenador. El capítulo comienza profundizando en la manera en la que los navegadores llevan a cabo esta tarea.

En este capítulo hablaremos también de uno de los hechos más comunes y molestos de la Web, esos mensajes de error, en ocasiones incomprensibles, que recibimos cuando no podemos acceder a un sitio o a una página Web. Veremos qué significan esos mensajes y comprenderemos por qué no podemos visitar una página o un sitio Web cuando aparecen en nuestras pantallas.

Como ya hemos mencionado, HTML es lenguaje de la Web. El capítulo 18, "Cómo funcionan los lenguajes de marcado" explica cómo organiza HTML los bloques de construcción para crear páginas Web. El lenguaje es un conjunto esencial de indicaciones que le dice a su navegador cómo mostrar y gestionar un documento Web.

El capítulo muestra en detalle cómo funciona todo eso. Además, en este capítulo hablaremos de cómo algunas de las tecnologías más novedosas relacionadas con HTML, en particular, una llamada AJAX, están convirtiendo los sitios Web en algo tan receptivo e interactivo como el software de escritorio.

El capítulo 19, "Cómo funcionan los URL", examina en detalle los URL, las direcciones que escribe en su navegador para visitar un sitio Web. Hablaremos de la estructura subyacente de un URL y comprenderemos mejor cómo se elabora un URL y qué es lo que éste puede decirle sobre el sitio que está visitando. Además, analizaremos cómo los URL ayudan a recuperar documentos de la Web.

El capítulo 20, "Cómo funcionan los mapas de imágenes y los formularios interactivos" examinaremos dos tecnologías que usamos en la Web sin darnos cuenta de ello: los mapas de imágenes y los formularios interactivos. Las mapas de imágenes no son mapas en el sentido tradicional, son gráficos con URL incrustados dentro de ellos. Cuando hace clic en una parte del gráfico, se le envía a un sitio, y cuando hace clic en otra parte, se le envía a un sitio diferente. Un mapa de imágenes puede ser una imagen de una casa, por ejemplo, en la que, cuando hace clic en el salón, se le envía a un sitio de entretenimiento y cuando hace clic en el despacho, se le envía a un sitio de negocios.

Los formularios interactivos son los formularios que rellenamos en la Web para hacer cosas como registrarnos en un determinado sitio o enviar información sobre nosotros mismos antes de poder descargar un cierto software de forma gratuita.

El capítulo 21, "Cómo funcionan los sitios Web con bases de datos" habla de las bases de datos. Las bases de datos se utilizan para muchas cosas en la Web. Los índices Web y los sitios de búsqueda como Yahoo! son, en esencia, bases de datos que interactúan con la Web.

16

Cómo funcionan las páginas Web

LA Web es la parte con un crecimiento más rápido y, en muchos sentidos, la parte más emocionante y enigmática de Internet. Cuando la gente habla de "navegar por la red", en la mayoría de los casos, están hablando de utilizar la WWW.

Como su nombre en inglés indica, la Web es una red globalmente conectada. Contiene muchas cosas, pero lo que hace que sea tan fascinante para tantas personas son las "páginas" que incorporan texto, gráficos, sonido, animación y otros elementos multimedia. En esencia, cada página es una publicación multimedia interactiva que incluye vídeos y música además de elementos gráficos y texto.

Las páginas están conectadas entre sí utilizando hipertexto que le permite ir de cualquier página a cualquier otra página, y a elementos gráficos, archivos binarios, archivos multimedia, o cualquier recurso de Internet. Para cambiar de una página a otra, se hace clic en un vínculo de hipertexto, un vínculo que conecta las páginas Web y los recursos.

La Web funciona en base a un modelo cliente/servidor. Usted ejecuta un software de navegación de cliente, como Netscape Navigator o Internet Explorer de Microsoft en su ordenador. Ese cliente se pone en contacto con un servidor Web y le solicita información o recursos. El servidor Web localiza y después envía la información al navegador Web, que muestra los resultados.

Las páginas de la Web se elaboran utilizando un lenguaje de marcado denominado HTML (lenguaje de marcado de hipertexto). Este lenguaje contiene comandos que le indican a su navegador cómo mostrar textos, gráficos y archivos multimedia. También contienen comandos que vinculan la página a otras páginas y a otros recursos de Internet.

El término página principal o de inicio (en inglés, *home page*) se utiliza para hacer referencia a la primera página, o a la página situada en la parte superior de una colección de páginas que forman un sitio Web. Se la denomina así para distinguirla de las muchas páginas reunidas como un solo "paquete" que con frecuencia configuran los sitios Web. La página principal es como la portada de una revista o la primera parte de un periódico. Normalmente, actúa como una introducción al sitio, explicando cuál es su finalidad y describiendo la información incluida en el resto de las páginas del sitio. De esta forma, la página principal suele actuar como la tabla de contenidos para el resto del sitio.

En general, los sitios Web usan tres tipos de estructuras sistematizadoras para organizar sus páginas. En una estructura de árbol, una pirámide o un diagrama, el formato permite que los usuarios naveguen fácilmente por el sitio, y encuentren la información que buscan. En una estructura lineal, una página lleva a la siguiente, que a su vez le dirige a la siguiente, y así sucesivamente, en línea recta. Finalmente, en una estructura aleatoria, las páginas se conectan entre sí de forma aparentemente fortuita. La última ilustración de este capítulo muestra cómo podríamos crear nuestras páginas utilizando un editor HTML.

Una vez que hayamos creado las páginas, utilizamos software FTP para colocarlas en una pequeña área de un servidor Web. Muchos proveedores de servicios de Internet (ISP) proporcionan espacio de servidor gratuito para sus suscriptores, y también existe la posibilidad de pagar una cierta cantidad para hospedar nuestro sitio. Algunos sitios le permiten crear páginas Web utilizando las herramientas incluidas en ellos. En ese caso, no crearía una página desde cero y la enviaría vía FTP; lo que haría sería crear la página utilizando las herramientas online proporcionadas por el sitio.

Cómo funciona la Web

1 La Web es la parte más innovadora y más utilizada de Internet. Cuando navega por la Web, puede ver páginas multimedia compuestas por texto, gráficos, sonido y vídeo. La Web utiliza vínculos de hipertextos que le permiten desplazarse de un lugar a otro en la Web. El lenguaje que le permite utilizar vínculos de hipertexto y ver páginas Web se denomina lenguaje de marcado de hipertexto, más comúnmente conocido como HTML.

2 La Web funciona en base a un modelo cliente/servidor, en el que el software del cliente, conocido como navegador Web, se ejecuta en un ordenador local. El software de servidor se ejecuta en un servidor Web. Para utilizar la Web, primero tiene que estar conectado a Internet y después abrir su navegador Web.

3 En el navegador Web, escribimos el URL de la ubicación que desee visitar, o hacemos clic en un vínculo que le envíe a la ubicación deseada. Los nombres de las localizaciones Web son URL (localizadores uniformes de recursos). Su navegador Web envía la petición de URL utilizando el protocolo de transferencia de hipertexto (HTTP), que define la forma en la que el navegador Web y el servidor Web se comunican entre sí.

4 Cuando el servidor encuentra la página principal, el documento o el objeto solicitados, envía esa página principal, ese documento o ese objeto de nuevo al cliente del explorador Web. A continuación, la información se muestra en la pantalla del ordenador, dentro del navegador Web. Cuando la página se envía desde el servidor, la conexión HTTP se cierra, y puede volver a abrirse.

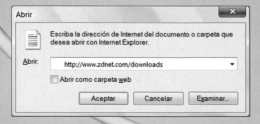

http://www.zdnet.com/downloads

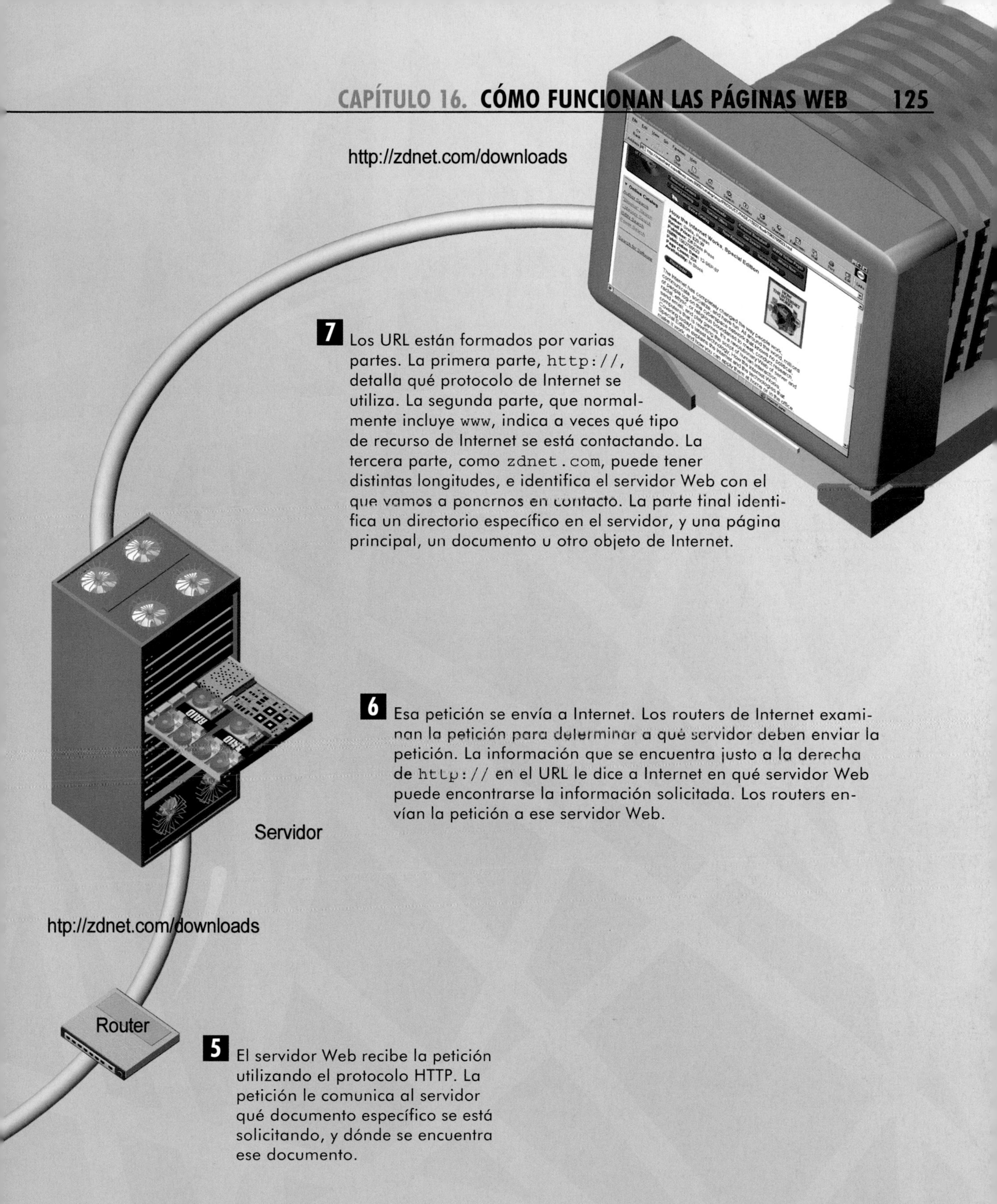

http://zdnet.com/downloads

7 Los URL están formados por varias
partes. La primera parte, `http://`,
detalla qué protocolo de Internet se
utiliza. La segunda parte, que normalmente incluye www, indica a veces qué tipo
de recurso de Internet se está contactando. La
tercera parte, como `zdnet.com`, puede tener
distintas longitudes, e identifica el servidor Web con el
que vamos a ponernos en contacto. La parte final identifica un directorio específico en el servidor, y una página
principal, un documento u otro objeto de Internet.

6 Esa petición se envía a Internet. Los routers de Internet examinan la petición para determinar a qué servidor deben enviar la
petición. La información que se encuentra justo a la derecha
de `http://` en el URL le dice a Internet en qué servidor Web
puede encontrarse la información solicitada. Los routers envían la petición a ese servidor Web.

Servidor

http://zdnet.com/downloads

Router

5 El servidor Web recibe la petición
utilizando el protocolo HTTP. La
petición le comunica al servidor
qué documento específico se está
solicitando, y dónde se encuentra
ese documento.

Cómo se organizan las páginas Web en un sitio Web

1 La página principal es la primera página o la página superior de cualquier sitio Web. Un sitio puede ser sólo una página o puede estar compuesto por docenas o incluso cientos de páginas. En el último caso, la página principal actúa como una tabla de contenidos que organiza el sitio y ayuda a los usuarios a encontrar la información disponible en el sitio.

2 El texto de hipervínculo subrayado o resaltado con frecuencia se encuentra incrustado en la página principal. Los hipervínculos sirven para conectar la página superior con otras páginas que se encuentran en el sitio.

3 Los documentos relacionados que residen juntos en un servidor Web forman un sitio Web. Sin embargo, un solo servidor puede albergar múltiples sitios Web, cada uno de ellos contenidos en un área independiente o directorio, algo similar a un disco duro que puede incluir múltiples directorios. Algunos sitios Web son tan grandes y tienen tal cantidad de tráfico que no pueden encajar en un solo servidor, y necesitan múltiples servidores.

4 Los principios de un buen diseño Web sugieren que las páginas de un sitio determinado tengan un vínculo a la página principal. Este enfoque permite que los usuarios puedan volver a la parte superior de un sitio para navegar en otras direcciones.

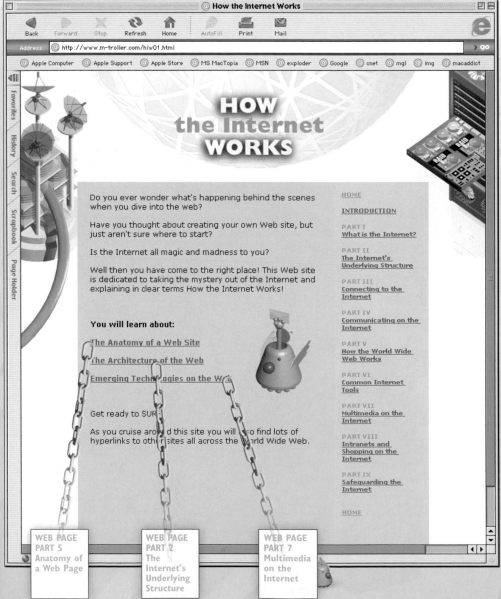

5 Los documentos que se encuentran en un sitio pueden estar vinculados a cualquier otro documento de ese mismo sitio, e incluso a documentos de sitios Web diferentes. Sin embargo, la mayoría de los sitios Web están diseñados mediante una estructura de pirámide o diagrama que les ofrece a los usuarios un modelo visual para que comprendan cómo está organizada la información; esta organización también les indica cómo encontrar y navegar por los documentos del sitio.

eal

aagrama

eatorio

6 En general, los sitios Web se organizan mediante una de las tres formas que pasaremos a detallar a continuación. El primer es el lineal, en el que una página lleva a la siguiente que, a su vez, le lleva a la siguiente, y así sucesivamente.

7 El segundo método de organización es un diagrama, o una estructura de árbol, que organiza la información de manera jerárquica, desde la información más general a los datos más específicos.

8 La tercera estructura organizativa es, en realidad, la falta de estructura, en la que las páginas se conectan entre sí de forma aparentemente aleatoria. (Sin embargo, es esta última estructura la que deja claro por qué la Web, red, se denomina de esta forma.)

Cómo se elaboran los sitios Web

1 En primer lugar, se recogen los materiales que sirven como materia prima para la página Web. El contenido puede ser cualquier cosa: fotografías de familia, poemas, opiniones personales, texto de cualquier tipo, clips de sonido o películas. El texto se puede compilar fácilmente utilizando cualquier procesador de texto, como Microsoft Word.

Texto

Gráficos

Multimedia

Página HTML

3 Existe software disponible que facilita la organización de texto, imágenes y archivos multimedia sin necesitar ni una sola línea de HTML; uno de esos programas es FrontPage de Microsoft. Sin embargo, si se necesita hacer ajustes a la página, no hay sustituto alguno a saber un poco de HTML. Antes de colgar nuevas páginas, deberían previsualizarse desde el disco duro utilizando un navegador Web. Si hay que modificar la página, es más sencillo llevar a cabo cambios en esta etapa. Lo mejor es previsualizar la página tanto con Internet Explorer como con Firefox, porque la misma página puede tener un aspecto diferente en cada uno de los navegadores.

2 Una página puede cobrar vida con sólo unas pocas imágenes bien escogidas. A la hora de diseñar una página principal de una familia, por ejemplo, una fotografía escaneada podría funcionar de forma adecuada en la página Web. Puede organizarse una lista de texto con iconos o viñetas de colores, y se pueden incluir también iconos de navegación como flechas o punteros, para posibilitar que el usuario se mueva de forma lógica por el sitio. Hay una enorme variedad de editores de imágenes *shareware* disponibles en Internet. El *shareware* es software que puede probar de forma gratuita, y por el que sólo tiene que pagar si lo utiliza después de un cierto tiempo.

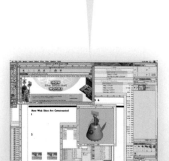

Editor de textos

Editor de imágenes

Editor multimedia

6 Se utiliza un programa FTP para acceder al servidor Web ISP; existen muchos programas FTP de calidad disponibles como *shareware* en Internet. El ISP emite un nombre de usuario y una contraseña cuando se contratan los servicios que se utilizan para acceder al directorio en el que la página HTML, sus gráficos u otros archivos multimedia se colocarán. Después de colocar los distintos elementos en la carpeta adecuada, se pueden comprobar las páginas "en directo" en la Web utilizando el URL proporcionado por el ISP. En algunos casos, el software que se utiliza para crear el sitio Web incluye además herramientas para colgar las páginas.

5 La página Web se cuelga en un servicio de hospedaje o en un ISP que proporcione espacio para hacer esto de forma gratuita o como parte de su tarifa mensual.

Editor HTML

http://www.server.com/tunombre

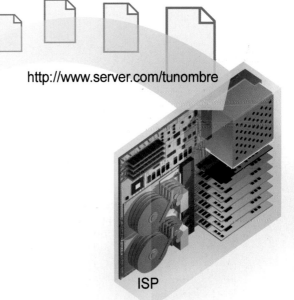

ISP

Editor HTML

4 Si desea añadir otros archivos multimedia a sus páginas, como sonido, música o vídeo digitalizados necesita tener acceso a los archivos digitales, o puede digitalizarlos usted mismo con hardware informático adicional. Cuando se trabaja con archivos multimedia, suelen ser de gran tamaño, por lo que los usuarios tardarán mucho tiempo en descargar el archivo. Durante la edición, trate de eliminar todo lo que no sea necesario de los clips de vídeo y de audio. Intente también reducir la longitud y la resolución de audio y de vídeo para disminuir el tamaño del archivo.

17

Cómo funcionan los navegadores Web

COMO la mayor parte de Internet, la Web funciona basándose en un modelo cliente/servidor. Se ejecuta un cliente Web en su ordenador, lo que se denomina explorador Web, como Internet Explorer de Microsoft o Firefox. Ese cliente se pone en contacto con un servidor Web y solicita información o recursos. El servidor Web localiza la información y la envía al explorador Web, que muestra los resultados.

Cuando los navegadores Web se ponen en contacto con los servidores, piden que se les envíen páginas creadas con lenguaje de marcado de hipertexto (HTML). Los navegadores interpretan estas páginas y las muestran en su ordenador. Además, pueden mostrar aplicaciones, programas, animaciones y material similar creados con lenguajes de programación como Java y ActiveX, lenguajes de script como JavaScript, y técnicas como AJAX.

En ocasiones, las páginas principales contienen vínculos a archivos que el navegador Web no puede reproducir o mostrar, como archivos de sonido o de animación. En ese caso, necesita un *plugin*, u otra aplicación de ayuda. Es necesario configurar su navegador Web o su sistema operativo para que utilice la aplicación de ayuda o el *plugin* siempre que se encuentre con un sonido, una animación u otro tipo de archivo que el explorador no puede ejecutar o reproducir.

Con el transcurso de los años, los exploradores Web son cada vez más sofisticados. Hoy en día, los navegadores son verdaderos paquetes de software que pueden hacer cualquier cosa, desde llevar a cabo videoconferencias a permitir la creación y publicación de páginas HTML.

Además, los navegadores actuales también hacen que la línea que separa su ordenador local de Internet sea cada vez menos clara; en esencia, pueden hacer que su ordenador e Internet funcionen como un solo sistema informático.

Cada vez con mayor frecuencia, un explorador no es sólo un software independiente, sino todo un paquete. La última versión de Internet Explorer, por ejemplo, incluye características de seguridad, como filtros que evitan la suplantación de la personalidad. El navegador Firefox cuenta con un software de correo electrónico asociado llamado Thunderbird que puede descargarse.

Cuando navegamos por Internet, una de las experiencias más frustrantes son los mensajes de error que los navegadores muestran cuando tienen problemas para ponerse en contacto con un sitio Web. Dependiendo del navegador que utilice, y de la versión de navegador que esté usando, estos mensajes pueden ser diferentes. A veces, estos navegadores muestran los mensajes de error en idioma comprensible, pero con frecuencia no es así. La última ilustración de este capítulo muestra algunos de los mensajes de error de navegador más comunes y lo que significan.

Cómo funciona un navegador Web

1 Los navegadores Web están formados por un software de cliente que se ejecuta en su ordenador y muestra las páginas principales en la Web. Existen clientes para una amplia cantidad de dispositivos, incluyendo ordenadores Windows, Macintosh y Unix.

2 Un navegador Web muestra la información en su ordenador interpretando el lenguaje de marcado de hipertexto (HTML) que se utiliza para crear páginas de inicio en la Web. Las páginas de inicio o principales normalmente muestran elementos gráficos, sonido y archivos multimedia, además de vínculos a otras páginas, archivos que pueden descargarse y otros recursos de Internet.

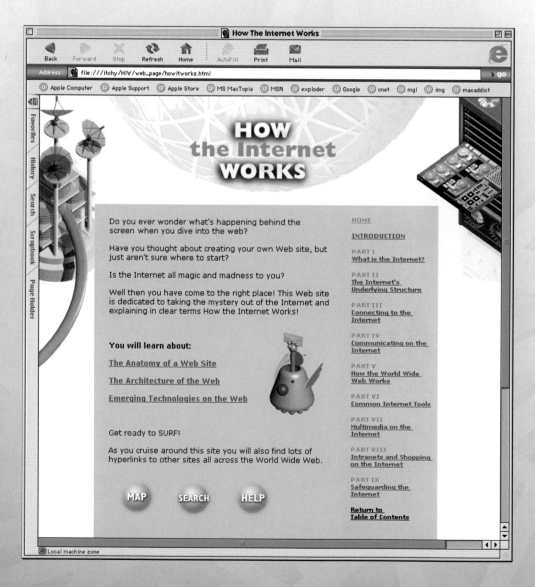

Título de la pagina

Color de fondo

Capa 1

```
html>
head>
title>How The Internet Works</title>
meta http-equiv="Content-Type" content="text/h
/head>
body bgcolor="#FFFFFF" link="#6666CC" vlin
div id="Layer1" style="position:absolute; left
div id="Layer2" style="position:absolute;
div id="Layer3" style="position:absolute;
div id="Layer4" style="position:absolute;
div id="Layer5" style="position:absolute;
div id="Layer6" style="position:absolute;
  <p><font size="3" face="Verdana, Arial, Helve
    what's happening behind the screens whe
  <p><font size="3" face="Verdana, Arial, Hea
    about creating your own Web site, but
  <p><font size="3" face="Verdana, Arial, He
    all magic and madness to you?</font>
  <p><font size="3" face="Verdana, Arial, he
    have come to the right place! This Web
    out of the Internet and explaining in
  <p> </p>
  <p><font face="Verdana, Arial, Helvetica.
    about:</b></font></p>
  <p><b><font face="Verdana, Arial, Helvet
    Anatomy of a Web Site</a></font></b>
  <p><b><font face="Verdana, Arial, Helvet
    Architecture of the Web</font></a>
  <p><b><font face="Verdana, Arial, Helvet
    Technologies on the Web</font></a>
  <p> </p>
  <p><font face="Verdana, Arial, Helvetica
  <p><font face="Verdana, Arial, Helvetica.
    site you will also find lots of hyper
    Wide Web.</font></p>
/div>
div id="Layer7" style="position:absolute;
  <p><font color="#999999"><b><font size=
  <p><font color="#9999CC"><a href="intro.
  <p><font color="#999999"><b><font size=
    I<br>
    <a href="pt01start.html">What is the
  <p><font color="#999999"><b><font size=
```

Hipervínculo

```
    II<br>
    <a href="part02start.html">The Intern
  <p><font color="#999999"><b><font size=
    III<br>
    <a href="part03start.html">Connecting
  <p><font color="#999999"><b><font size=
    IV<br>
    <a href="part04start.html">Communical
  <p><font color="#999999"><b><font size=
    V<br>
    <font color="#6666CC"><a href="part05
  <p><font color="#999999"><b><font size=
    VI<br>
    <font color="#6666CC"><a href="part0
  <p><font color="#999999"><b><font size=
    VII<br>
    <font color="#6666CC"><a href="part07
  <p><font color="#999999"><b><font size=
    VIII<br>
    <font color="#6666CC"><a href="part0
    the Internet</a></font></font></b>
  <p><font color="#999999"><b><font size=
    IX<br>
    <font color="#6666CC"><a href="part09
  <p><font color="#999999"><b><font size=
    to <br>
    Table of Contents</font></a></font>
  <p> </p>
  <p> </p>
/div>
div id="Layer8" style="position:absolute;
img src="bot.gif" width="151" height="1
div id="Layer9" style="position:absolute;
div id="Layer10" style="position:absolute
div id="Layer11" style="position:absolute
/body>
/html>
```

3 El código de los archivos HTML le indican a su navegador cómo mostrar el texto, los gráficos, los vínculos y los archivos multimedia en la página principal. El archivo HTML que su navegador descarga para mostrar dicha página no tiene realmente los gráficos, el sonido, los archivos multimedia y otros recursos en él. Lo que contiene son referencias HTML a esos gráficos y archivos. Su navegador utiliza esas referencias para encontrar los archivos en el servidor y mostrar-los después en la página principal.

4 El navegador Web también interpreta las etiquetas HTML como vínculos a otros sitios Web, o a otros recursos Web, como gráficos, archivos multimedia, grupos de noticias o archivos que pueden descargarse. Dependiendo del vínculo, lleva a cabo diferentes accio-nes. Por ejemplo, si el código HTML especifica el vínculo como otra página de inicio, el navegador recupera el URL especificado en el archivo HTML cuando el usuario hace clic en el vínculo subrayado de la página. Si el código HTML especifica que se descargue un archivo, el navegador descarga el archivo a su ordenador.

Nota: Los navegadores Web no pueden mostrar algunos tipos de archivos de Internet, especialmente algunos tipos de archivos multimedia, como archivos de sonido, de vídeo y de animación. (Un ejemplo común de este tipo de archivos es el llamado Flash.) Para visualizar o reproducir estos archivos, necesita lo que se denomina una aplicación de ayuda o *plugin*. Debe configurar su navegador Web o su sistema operativo para que abra estas aplicaciones de ayuda o *plugin* siempre que haga clic en un objeto que los necesite para ser visualizados. Con mucha fre-cuencia, cuando instala la aplicación o *plugin*, se configurará adecuadamente de forma automática.

Nota: Los significados de las etiquetas son fáciles de descifrar. Cada etiqueta o instrucción HTML está rodeada por un signo menor que y un signo mayor que, <P>. Normalmente las etique-tas aparecen de dos en dos, una de inicio y otra de cierre. Son idénticas, excepto por una barra oblicua que aparece en la de cierre. Así, un párrafo de texto con frecuencia estará rodeado de etiquetas de la forma siguiente: <P> Párrafo de texto </P>. Además, las etiquetas no distinguen entre mayúsculas y minúsculas: <P> es lo mismo que <p>.

Qué significan los mensajes de error más comunes del navegador

Servidor DNS

Server Does Not Have a DNS Entry. (El servidor no tiene una entrada DNS.) Cuando escribe un URL en su navegador para visitar un sitio, su ordenador se pone en contacto con un servidor denominado servidor de sistema de nombres de dominio (DNS). El servidor DNS traduce el URL a un número IP que los ordenadores pueden comprender, y, una vez hecho esto, su navegador puede dirigirse al sitio. Si aparece un mensaje de error en el que se le informa que el servidor no tiene una entrada DNS, significa que el servidor no tiene acceso al URL que ha escrito. Esto normalmente significa que cometió un error al escribir el URL o que hay algo que no funciona en el servidor DNS. Compruebe el URL y vuelva a escribirlo.

503 Service Unavailable. (503 Servicio no disponible.) Éste es un mensaje de error tipo cajón de sastre para una gran variedad de problemas, pero todos ellos significan que su navegador no puede contactar con el sitio Web. El problema podría ser que el servidor del sitio se ha caído por tráfico excesivo o que hay un atasco en la red.

Servidor Web

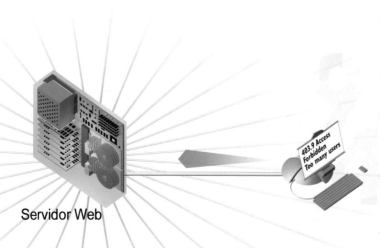

Servidor Web

403.9 Access Forbidden. Too Many Users Are Connected. (403.9 Acceso denegado. Demasiados usuarios conectados.) Algunos sitios Web reconocen que si hay demasiado tráfico en un momento determinado, todo el sitio Web puede venirse abajo y nadie podrá visitarlo. Estos sitios establecen un límite en el número de personas que pueden ir al sitio a la vez, de esa forma, el sitio está siempre disponible, si bien no todas las personas que quieren visitarlo pueden hacerlo. Si le aparece este mensaje, normalmente significa que el sitio Web está ejecutándose, pero que no puede entrar porque ya se ha alcanzado el número máximo de personas que pueden acceder al sitio. Siga intentándolo, cuando una persona se desconecta, otra puede conectarse, y quizá sea usted.

404 Not Found. (404 No encontrado.) Cuando visualiza este mensaje, ha llegado al sitio Web correcto, pero la página específica que está buscando no puede encontrarse. Esa página podría haberse borrado del sitio o movido a otra ubicación, o quizá ha escrito de forma incorrecta su localización.

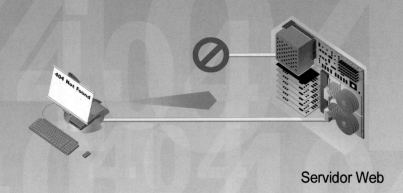

Servidor Web

Servidor Web

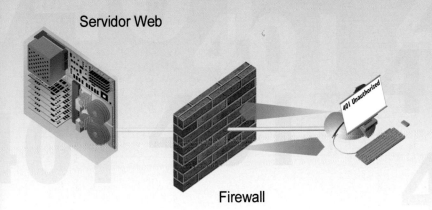

Firewall

401 Unauthorized o 403 Forbidden. (401 No autorizado o 403 Prohibido.) Si se le aparece cualquiera de estos mensajes de error, lo que ocurre es que está intentado entrar a un sitio Web que permite el acceso sólo a determinadas personas, y usted no es una de ellas. Normalmente estos tipos de sitios Web están protegidos por una contraseña y pueden aceptar sólo a visitantes procedentes de determinados dominios, como zd.com. Si ha introducido una contraseña, quizá lo ha hecho de forma incorrecta o quizá no está en un dominio autorizado para entrar en el sitio Web.

Cursor en forma de reloj de arena. No se trata de un mensaje de error que su navegador muestra, sino que su cursor de Windows se convierte en un reloj de arena. Este cursor le indica que su explorador está intentando conectar con el sitio Web. Si da vueltas una y otra vez y la conexión no se lleva a cabo, puede significar que un router de Internet situado en algún lugar entre usted y el lugar que desea visitar se ha colapsado y no puede realizar la conexión. También puede significar que, por alguna razón, ha perdido su conexión local a Internet.

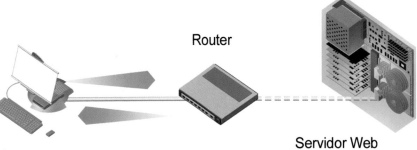

Router

Servidor Web

18

Cómo funcionan los lenguajes de marcado

LOS lenguajes de marcado son las señales de tráfico de una página Web. Son conjuntos de indicaciones que le dicen al software del navegador cómo mostrar e interpretar un documento Web, de la misma forma que las partituras son instrucciones que le dicen al músico cómo interpretar una pieza determinada. Estas instrucciones (denominadas etiquetas) están incrustadas en el documento fuente que crea la página Web.

Las etiquetas hacen referencia a imágenes gráficas ubicadas en archivos independientes, y le indican al navegador que recupere y muestre estas imágenes dentro de la página. Las etiquetas también pueden decirle al navegador que conecte a un usuario a otro archivo o URL cuando haga clic en un hipervínculo activo. En consecuencia, la página Web tiene todo lo necesario para mostrarse en cualquier ordenador con un navegador que pueda interpretar el lenguaje de marcado.

Su texto original tendrá probablemente títulos, múltiples párrafos y algún tipo de formato sencillo. Un navegador Web no comprenderá todas estas instrucciones de maquetación porque el texto original no está formateado en HTML, el lenguaje de la Web. Los párrafos, los retornos de carro, los sangrados y los espacios múltiples se mostrarán como un espacio sencillo si no se añade marcado HTML.

No debe confundir los lenguajes de marcado con los lenguajes de programación, como C+ o Pascal.

Los lenguajes de programación se utilizan para escribir aplicaciones complejas como procesadores de texto y hojas de cálculo.

Los lenguajes de marcado, por el contrario, son mucho más sencillos y describen la forma en la que debería mostrarse la información, por ejemplo, definiendo cuándo debería aparecer el texto en negrita. En los lenguajes de marcado, las etiquetas están incrustadas dentro de los documentos para describir la manera en la que deberían formatearse y mostrarse los documentos.

El lenguaje de marcado de hipertexto (HTML) es el lenguaje de marcado de la Web. Define el formato de un documento Web y permite que se incrusten vínculos de hipertexto en el documento. Puede utilizar cualquier editor de texto o procesador de palabras para añadir etiquetas HTML a un documento de texto ASCII, aunque existe diverso *shareware* y editores de HTML disponibles para ayudar a los autores de páginas Web.

La Web evoluciona diariamente, y HTML se expande y cambia con ella. Han surgido un grupo de tecnologías denominadas en conjunto HTML dinámico (DHTML) a partir de HTML que permiten que HTML sea algo más que un lenguaje estático. Gracias a ellas HTML puede realizar animaciones y ser más interactivo y flexible.

El lenguaje XML (lenguaje de marcado extendido) promete propiciar cambios todavía más significativos a la Web. Es completamente diferente de los otros lenguajes de marcado, porque separa el contenido de una página de su presentación. En lugar de hacer cosas como dar instrucciones sobre el tamaño del texto, etiqueta los distintos tipos de contenidos y hace que otras tecnologías como plantillas y hojas de estilo determinen el aspecto que debería tener el contenido.

XML es la parte central de una nueva tecnología denominada Servicios Web, que permite que se entreguen programas y servicios a través de Internet utilizando un navegador Web.

La tecnología relacionada con XML más novedosa se denomina AJAX, y permite que los sitios Web funcionen más como programas de escritorio que como sitios Web. Proporcionan una gran cantidad de interactividad, a diferencia de la mayoría de las páginas Web, que son lentas y estáticas.

Cómo funciona HTML

1 Para mostrar páginas Web en cualquier navegador, debe añadir etiquetas HTML a su texto original. Este proceso se denomina etiquetado.

2 Utilice HTML para darle estructura a su texto. Todos los archivos HTML empiezan y terminan con etiquetas HTML. Los títulos se marcan como tales, de la misma forma que los párrafos, los saltos de línea, las citas y los énfasis en caracteres especiales. Los retornos de carro y los sangrados del texto origen no se reflejan en la forma en la que el navegador muestra la página. Es necesario incluir etiquetas HTML si queremos que se muestren en el navegador.

Título de la página

Mostrar i

Mostrar i

Mostrar texto "D

Vínculos H

Mostrar ir

Mostrar vínculo de

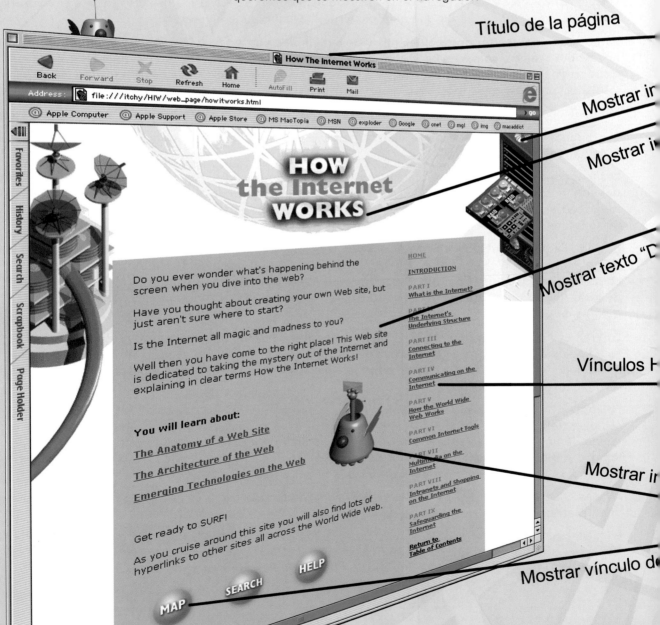

3 El documento HTML terminado será la página fuente para cualquier navegador de cualquier ordenador. Esta simplicidad de HTML hace que la compatibilidad entre distintas plataformas sea sencilla y fiable. Cuanto más complejo y especializado sea el etiquetado HTML, más tiempo se tardará en descargar y mostrar el documento.

4 La mayoría de los navegadores Web permiten que su documento mantenga su integridad estructural cuando se muestra o se analiza. Los títulos aparecerán en un tamaño de fuente mayor que el texto de los párrafos, por ejemplo, y las citas contarán con sangrados uniformes; sin embargo, su aspecto podría variar de navegador a navegador. Observe que los navegadores determinan la fuente, el tamaño y el color que se utiliza. Tenga en cuenta también que la importancia relativa de los elementos siempre se mantiene intacta.

k.gif"

e.gif"

wonder..."

".gif"

map.gif"

```html
<html>
<head>
<title>How The Internet Works</title>
<meta http-equiv="Content-Type" content="text/html; charset=iso-8859-1">
</head>

<body bgcolor="#FFFFFF" link="#6666CC" vlink="#666666">
<div id="Layer1" style="position:absolute; left:601px; top:-66px; width:180px; height:320px; z-index:1"><img src="rack.gif" width="217" height="372"></div>
<div id="Layer2" style="position:absolute; left:0; top:0; width:203px; height:352px; z-index:2"><img src="rtside.gif" width="125" height="458"></div>
<div id="Layer3" style="position:absolute; left:106px; top:0px; width:494px; height:162px; z-index:3"><img src="title.gif" width="545" height="173"></div>
<div id="Layer4" style="position:absolute; left:91px; top:180px; width:502px; height:875px; z-index:4; background-color: #CCCCCC; layer-background-color: #CCCCCC; border: 1p
<div id="Layer5" style="position:absolute; left:506px; top:180px; width:156px; height:877px; z-index:5; background-color: #FFCC99; layer-background-color: #FFCC99; border: 1px
<div id="Layer6" style="position:absolute; left:115px; top:201px; width:369px; height:604px; z-index:6">
  <p><font size="3" face="Verdana, Arial, Helvetica, sans-serif">Do you ever wonder
    what's happening behind the screen when you dive into the web?</font></p>
  <p><font size="3" face="Verdana, Arial, Helvetica, sans-serif">Have you thought
    about creating your own Web site, but just aren't sure where to start?</font></p>
  <p><font size="3" face="Verdana, Arial, Helvetica, sans-serif">Is the Internet
    all magic and madness to you?</font></p>
  <p><font size="3" face="Verdana, Arial, Helvetica, sans-serif">Well then you
    have come to the right place! This Web site is dedicated to taking the mystery
    out of the Internet and explaining in clear terms How the Internet Works!</font></p>
  <p> </p>
  <p><font face="Verdana, Arial, Helvetica, sans-serif" size="3"><b>You will learn
    about:</b></font></p>
  <p><b><font face="Verdana, Arial, Helvetica, sans-serif" size="3"><a href="pt05_ch2102.html">The
    Anatomy of a Web Site</a></font></b></p>
  <p><b><font face="Verdana, Arial, Helvetica, sans-serif"><a href="pt01_ch0101.html"><font size="3">The
    Architecture of the Web</font></a></font></b></p>
  <p><b><font face="Verdana, Arial, Helvetica, sans-serif"><a href="pt07_ch3205.html"><font size="3">Emerging
    Technologies on the Web</font></a></font></b></p>
  <p> </p>
  <p><font face="Verdana, Arial, Helvetica, sans-serif">Get ready to SURF!</font></p>
  <p><font face="Verdana, Arial, Helvetica, sans-serif">As you cruise around this
    site you will also find lots of hyperlinks to other sites all across the World
    Wide Web.</font></p>
</div>
<div id="Layer7" style="position:absolute; left:517px; top:198px; width:139px; height:631px; z-index:7">
  <p><font color="#999999"><b><font size="2" face="Verdana, Arial, Helvetica, sans-serif"><a href="index.html"><font color="#9999CC">HOME</font></a></font></b></font></p>
  <p><font color="#9999CC"><a href="intro.html"><b><font size="2" face="Verdana, Arial, Helvetica, sans-serif">INTRODUCTION</font></b></a></font></p>
  <p><font color="#999999"><b><font size="2" face="Verdana, Arial, Helvetica, sans-serif">PART
    I<br>
    <a href="pt01start.html">What is the Internet?</a></font></b></font></p>
  <p><font color="#999999"><b><font size="2" face="Verdana, Arial, Helvetica, sans-serif">PART
    II<br>
    <a href="part02start.html">The Internet's Underlying Structure</a></font></b></font></p>
  <p><font color="#999999"><b><font size="2" face="Verdana, Arial, Helvetica, sans-serif">PART
    III<br>
    <a href="part03start.html">Connecting to the Internet</a></font></b></font></p>
  <p><font color="#999999"><b><font size="2" face="Verdana, Arial, Helvetica, sans-serif">PART
    IV<br>
    <a href="part04start.html">Communicating on the Internet</a></font></b></font></p>
  <p><font color="#999999"><b><font size="2" face="Verdana, Arial, Helvetica, sans-serif">PART
    V<br>
    <font color="#6666CC"><a href="part05start.html">How the World Wide Web Works</a></font></font></b></font></p>
  <p><font color="#999999"><b><font size="2" face="Verdana, Arial, Helvetica, sans-serif">PART
    VI<br>
    <font color="#6666CC"><a href="part06start.html">Common Internet Tools</a></font></font></b></font></p>
  <p><font color="#999999"><b><font size="2" face="Verdana, Arial, Helvetica, sans-serif">PART
    VII<br>
    <font color="#6666CC"><a href="part07start.html">Multimedia on the Internet</a></font></font></b></font></p>
  <p><font color="#999999"><b><font size="2" face="Verdana, Arial, Helvetica, sans-serif">PART
    VIII<br>
    <font color="#6666CC"><a href="part08start.html">Intranets and Shopping on
    the Internet</a></font></font></b></font></p>
  <p><font color="#999999"><b><font size="2" face="Verdana, Arial, Helvetica, sans-serif">PART
    IX<br>
    <font color="#6666CC"><a href="part09start.html">Safeguarding the Internet</a></font></font></b></font></p>
  <p><font color="#999999"><b><font size="2" face="Verdana, Arial, Helvetica, sans-serif"><a href="index.html"><font color="#000000">Return
    to <br>
    Table of Contents</font></a></font></b></font></p>
  <p> </p>
  <p> </p>
<div id="Layer8" style="position:absolute; left:351px; top:380px; width:129px; height:132px; z-index:8"><img src="bot.gif" width="151" height="154"></div>
<div id="Layer9" style="position:absolute; left:120px; top:622px; width:77px; height:68px; z-index:9"><a href="map.html"><img src="map.gif" width="83" height="83" border="0"
<div id="Layer10" style="position:absolute; left:215px; top:623px; width:65px; height:76px; z-index:10"><a href="searchHIW.html"><img src="search.gif" width="83" height="83"
<div id="Layer11" style="position:absolute; left:312px; top:622px; width:67px; height:101px; z-index:11"><a href="helpme.html"><img src="help.gif" width="83" height="83" bor
</body>
</html>
```

Cómo funciona HTML dinámico

1 El HTML dinámico (DHTML) se diferencia del HTML tradicional en que permite llevar a cabo cambios en la página Web sobre la marcha, una vez que se ha cargado. En HTML sencillo, una vez que se carga la página, es estática, y sólo puede modificarse cuando un usuario realiza una acción de algún tipo. Pero DHTML, por ejemplo, podría hacer que una animación de un cohete volara por su ventana del navegador pocos segundos después de que se haya cargado la página, sin que usted haga nada.

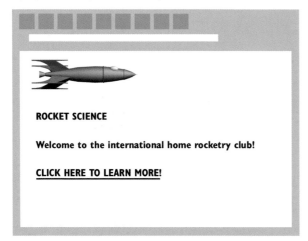

2 DHTML hace su trabajo sin tener que contactar con el servidor después de que la página se cargue, así que puede llevar a cabo algunas funciones interactivas más rápidamente que otras tecnologías que tienen que contactar con el servidor. Las instrucciones para realizar los comandos están en comandos HTML que se encuentran en la propia página.

3 Aunque a menudo nos referimos a DHTML como si fuera una sola tecnología, en realidad, es un término general utilizado por un grupo de tecnologías que pueden trabajar juntas o de forma individual para modificar una página Web una vez que se ha descargado en su ordenador. Estas tecnologías son DOM (modelo de objetos de documentos), CSS (hojas de estilo en cascada) y lenguajes de script ejecutado por el cliente, como JavaScript.

4 El DOM define todos los objetos y los elementos de una página Web y permite que estos objetos sean manipulados, o que se pueda acceder a ellos. Esto incluye fuentes, gráficos, tablas y elementos visuales, así como elementos que no tiene por qué ver necesariamente, como el número de versión del explorador y la fecha y la hora actuales. Sin DOM, todos los elementos de una página son estáticos. Así, en el nivel más simple, DHTML podría utilizar DOM para cambiar la fuente de cualquier letra, de forma individual, en una página Web.

Cómo
funciona
DHTML

Cómo
funciona
DHTML

5 Las hojas de estilo en cascada son, básicamente, plantillas que aplican información sobre el formato y el estilo a los elementos de una página Web. Se llaman en cascada porque cualquier página puede tener más de una hoja de estilo asociada a ella. Además, CSS permite que las imágenes se superpongan unas a otras. Esto facilita la creación de animaciones en una página.

Cómo
funciona
DHTML

6 Los lenguajes de script ejecutados por el cliente llevan a cabo la mayor parte del trabajo de DHTML. Estos lenguajes acceden al DOM y manipulan sus elementos y hacen lo mismo con las hojas de estilo en cascada. En consecuencia, un script podría, por ejemplo, cambiar el color de una palabra cuando el ratón se mueva encima de ella, o podría crear una navegación plegable fácil de utilizar en cada una de las páginas de un determinado sitio Web.

Cómo
funciona
DHTML

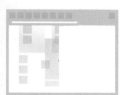

Cómo funciona XML

1 XML resuelve varios de los principales problemas de los desarrolladores Web. Sin él, para hacer llegar páginas Web a distintos dispositivos como ordenadores, teléfonos móviles y Palm inalámbricas, un desarrollador tendría que crear y mantener tres sitios Web diferentes, con una codificación especial para cada dispositivo: HTML para el ordenador, WAP para el teléfono móvil y lo que se denomina *web clipping* para los dispositivos Palm inalámbricos. Es una opción cara, difícil y que lleva demasiado tiempo.

2 Con XML, un desarrollador puede crear el sitio Web solo una vez. A partir de ahí, el sitio puede ser formateado automáticamente para distintos tipos de dispositivos como ordenadores conectados a Internet, dispositivos Palm inalámbricos y teléfonos móviles que utilizan WAP. E incluso si el sitio se está creando sólo para ordenadores, cuando se dé una modificación en el diseño, con XML, no es necesario volver a crear todas las páginas.

```
<Sale Flyer>
<Offer>Get It While It's Hot!</Offer>
<Promotional Copy>
You can't miss this one!
One-time offer only —
gaming systems at prices
you won't believe! </Promotional Copy>
<Product>Sony PlayStations</Product>
<Price> $159.95</Price>
Sale ends <End Date> May 15
</End Date>
</Sale Flyer>
```

3 El concepto más importante que hay que comprender sobre XML es que el lenguaje se utiliza exclusivamente para transmitir información sobre el contenido, no sobre la presentación del contenido. Así, por ejemplo, no se proporciona instrucciones sobre el tamaño que debería tener el texto. Pero utiliza etiquetas para definir el tipo de contenido incluido en la página. Después utiliza otras técnicas, como veremos en los pasos siguientes, para mostrar esas páginas. De esa forma, una sola página puede mostrarse de muchas formas diferentes, sin tener que volver y modificar la página original; sólo necesitamos cambiar los diseños, que están separados del contenido.

4 Cuando el contenido XML se carga en un sitio Web, hay que aplicar distintos diseños a ese contenido de forma que pueda ser visualizado por los dispositivos que se conectan a él, por ejemplo, los teléfonos móviles. Se puede aplicar XSLT (transformaciones del lenguaje de hojas de estilo extensibles) a XML. XSLT puede coger XML y aplicarle distintos diseños o cambiarlo a otras formas de XML, por ejemplo, puede convertir XML en una página WAP que puede ser visualizada por un teléfono móvil, y coger ese mismo XML y convertirlo en un documento HTML con un diseño diferente.

5 Cuando un dispositivo visita un sitio creado con XML, es necesario que haya una forma de que el sitio sepa de qué tipo de dispositivo se trata: un ordenador o un teléfono móvil, por ejemplo. Los scripts CGI (interfaz de pasarela común) pueden detectar qué tipo de dispositivo se está poniendo en contacto con el sitio.

6 Una vez que el sitio sabe qué tipo de dispositivo le está visitando, coge el XML y, utilizando XSLT, lo convierte al formato adecuado, por ejemplo, un documento WAP que puede ser visualizado por el teléfono móvil con su micronavegador WAP o un documento HTML para un ordenador.

GET IT WHILE IT'S HOT!

You can't miss this one!
One-time offer only –
gaming systems at
prices you won't believe!

Sony PlayStations

$159.95

Sale ends **May 15**

PlayStation
159.95 US
Sale Ends
May 15

Nota: XML es la base de una de las tecnologías Web más novedosas, los Servicios Web, que permiten que se entreguen programas y servicios a través de Internet utilizando un navegador Web. Además, XML se utiliza con frecuencia para permitir que aplicaciones, bases de datos y organizaciones intercambien información.

Cómo funciona AJAX

1 AJAX (JavaScript y XML asíncronos) permite a los desarrolladores Web crear sitios Web interactivos que funcionan más como programas de escritorio que como sitios Web lentos y estáticos. Gmail y Google Maps son dos ejemplos de sitios creados utilizando AJAX.

2 Cuando alguien visita un sitio AJAX, el navegador carga la página HTML, como lo haría normalmente. La página HTML utiliza JavaScript para proporcionar interactividad. Cuando un visitante hace una petición de más información, como por ejemplo buscar un mapa, JavaScript realiza la petición.

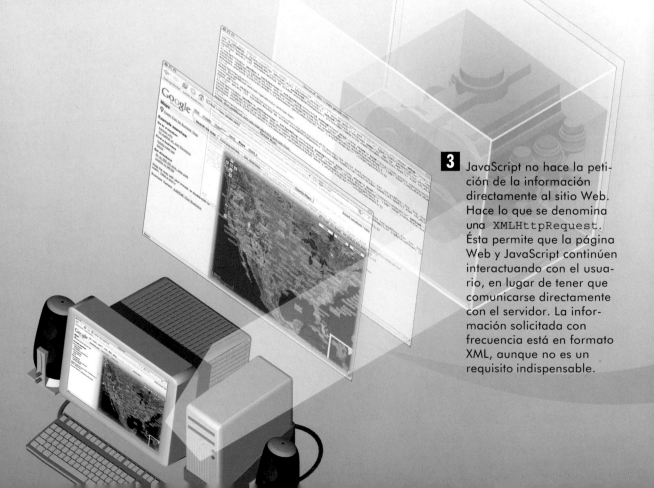

3 JavaScript no hace la petición de la información directamente al sitio Web. Hace lo que se denomina una `XMLHttpRequest`. Ésta permite que la página Web y JavaScript continúen interactuando con el usuario, en lugar de tener que comunicarse directamente con el servidor. La información solicitada con frecuencia está en formato XML, aunque no es un requisito indispensable.

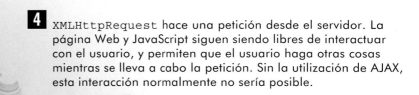

4 `XMLHttpRequest` hace una petición desde el servidor. La página Web y JavaScript siguen siendo libres de interactuar con el usuario, y permiten que el usuario haga otras cosas mientras se lleva a cabo la petición. Sin la utilización de AJAX, esta interacción normalmente no sería posible.

5 El servidor envía la información a `XMLHttpRequest`. Ésta, a su vez, envía la información a JavaScript.

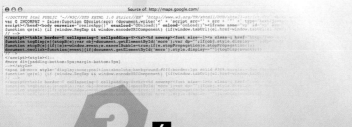

6 JavaScript coge la información y la utiliza o la muestra. Sólo se actualiza la parte de la página que necesita la información, el resto de la página no tiene por qué cambiar. Esto acelera la visualización de la información y permite la interactividad, porque no hay necesidad de actualizar la página completa.

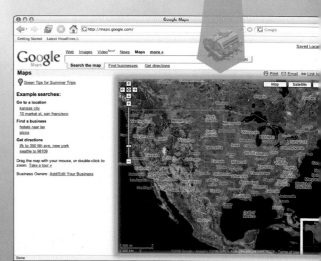

C A P Í T U L O

19

Cómo funcionan los URL

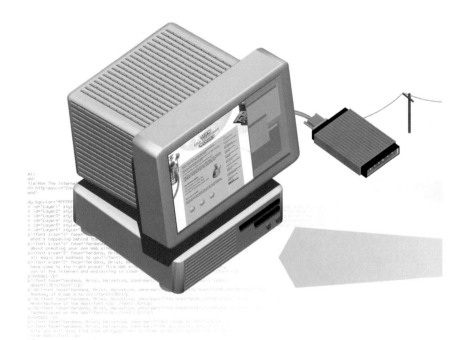

LAS páginas Web y los ordenadores que forman la Web deben tener ubicaciones únicas, de forma que su ordenador pueda localizarlos y recuperar las páginas. El identificador único para los equipos se denomina dirección IP, y el identificador único para una página se llama localizador único de recursos (URL). Un URL funciona en gran medida como una dirección postal o una dirección de email. De la misma forma que una dirección postal o de email incluyen un nombre y una ubicación específica, un URL, o dirección Web, indica dónde se encuentra el servidor, la localización del sitio Web en el servidor, y el nombre de la página Web y el tipo de archivo de cada documento, entre otra información.

Un URL típico tiene este aspecto:

```
http://www.whitehouse.gov/president/index.html
```

Si tuviera que interpretar las instrucciones de este URL de izquierda a derecha, lo traduciría de esta forma: dirígete a un servidor denominado `whitehouse` (una agencia gubernamental), en un directorio llamado `president`, y recupera un documento de hipertexto con el nombre de archivo `index.html`. El URL, o dirección, le indica al explorador qué documento tiene que coger y dónde encontrarlo exactamente en un servidor remoto específico que se encuentra en algún sitio de Internet.

La primera parte del URL indica qué tipo de protocolo de transferencia se utilizará para recuperar el documento en cuestión. La petición más común es la de un documento de hipertexto que utiliza HTTP (protocolo de transferencia de hipertexto).

La segunda parte del URL hace referencia al servidor específico en el que se encuentra el documento, con el que tiene que ponerse en contacto el software del navegador. Esta parte de la dirección se denomina también nombre de dominio.

La tercera parte del URL es el directorio del servidor que contiene un sitio Web específico, o múltiples sitios Web. Siempre se coloca después de la barra inclinada en el URL, y es, en esencia, el subdirectorio del disco duro que alberga el sitio Web. Los subdirectorios pueden indicarse también en esta parte de la dirección. Por ejemplo, si modificáramos el URL anterior y lo convirtiéramos en `http://www.whitehouse.gov/history/presidents/`, habría dos subdirectorios `history` y `president`. En el primer ejemplo, el nombre del archivo es `index.html`. Ésta es siempre la última parte del URL. Si ve una dirección sin nombre de archivo, se supone que el nombre de archivo `index.html` contiene la página Web solicitada. En consecuencia, el documento predeterminado que un servidor Web le entregará al cliente cuando no se especifique el nombre del archivo es `index.html`. (En ocasiones, la última parte del URL podría no ser un nombre de archivo, sino otros tipos de información solicitada por un servidor Web, como códigos requeridos para acceder al servidor Web.)

La ilustración que aparece a continuación muestra el proceso necesario para solicitar y recuperar un documento Web. Cuando se da por primera vez una petición de un documento mientras se navega por la Web, hay que localizar primero el servidor para encontrar el archivo. Después de eso, se encuentra el subdirectorio específico y se recupera el documento.

Cómo se estructuran los URL

1 La primera parte del URL indica el tipo de protocolo de transferencia que se utilizará para recuperar el documento específico. La petición más común es la de un documento de hipertexto que utiliza el protocolo HTTP.

3 La tercera parte del URL es el directorio del servidor que contiene un sitio Web específico. Un servidor puede albergar múltiples sitios Web. Este tercer segmento de la dirección es esencialmente el directorio raíz en el que se encuentra el sitio. Los subdirectorios también pueden indicarse en esta parte de la dirección.

http://www.sample.com/samples/sample.html

2 La segunda parte del URL es el servidor específico en el que reside el documento, con el que tendrá que ponerse en contacto el software del navegador. Esta parte de la dirección se denomina también dominio. Los nombres de dominio terminan con un sufijo que indica qué tipo de organización es dicho dominio. Por ejemplo, `.com` indica un negocio comercial, `.edu` indica un instituto o una universidad oficialmente acreditada, `.gov` hace referencia a una agencia gubernamental, `.mil` denota un complejo militar y `.org` indica una organización sin ánimo de lucro. El sufijo también puede hacer referencia al país en el que se encuentra el servidor. Por ejemplo, `.ca` es Canadá y `.au` Australia.

4 El último segmento del URL es el nombre de archivo de la página Web específica que esté solicitando. Si no se indica ningún nombre de archivo, el navegador asume que tiene que mostrar la página predeterminada, que normalmente se denomina `index.html`.

Cómo ayudan los URL a recuperar documentos de la Web

1 El servidor Web instalado en su ordenador local envía una señal a su software TCP/IP para indicarle que está preparado para solicitar un documento. TCP/IP lleva a cabo una conexión con el software TCP/IP del servidor. Una vez establecida la conexión, su navegador hace una petición para un determinado documento enviando su URL a través de la conexión bilateral que el TCP/IP mantiene con el servidor.

2 El servidor HTTP es una parte del ordenador de servidor que ejecuta el software HTTP en el mismo. TCP/IP realiza y mantiene la conexión de esta forma. El navegador puede utilizar HTTP para enviar peticiones y recibir páginas a través del software del servidor Web. Este software permite que el servidor se comunique con el explorador del cliente, en HTTP, a través de TCP/IP.

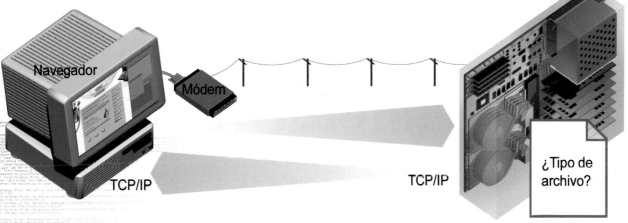

Navegador

Módem

Servidor HTTP

TCP/IP

TCP/IP

¿Tipo de archivo?

5 El navegador de su ordenador local lee el tipo de archivo. Si se trata de un documento HTML, el explorador examina el contenido, dividiéndolo en partes con sentido. Dos partes generales incluyen el texto, que se muestra en el navegador palabra por palabra, y la información de marcado HTML, las etiquetas, que no se muestran pero contienen información sobre el formato, como texto normal, títulos en negrita e hipertexto en color. Los resultados se muestran en su monitor.

4 Si se encuentra el documento, el servidor comprueba el tipo de archivo (normalmente x-html o x-text) y envía esta información al cliente con la página solicitada. Cuando el cliente recibe la página, primero comprueba el tipo de archivo. Si se trata de un tipo que puede mostrar, lo hace; si no es así, le envía un mensaje al usuario para ver si desea guardarlo en el disco o abrirlo utilizando una aplicación de ayuda. El tipo de archivo x-html es, con mucho, el que se utiliza más comúnmente cuando se transmiten páginas Web.

3 A continuación, el servidor recibe el URL transmitido y responde de una de tres formas diferentes: sigue la ruta del directorio proporcionada en el URL; el servidor encuentra el archivo en su disco duro local y lo abre; o el servidor ejecuta un script CGI o detecta un error (como archivo no encontrado) y genera un documento de error para enviárselo de vuelta al cliente.

20

Cómo funcionan los mapas de imágenes y los formularios interactivos

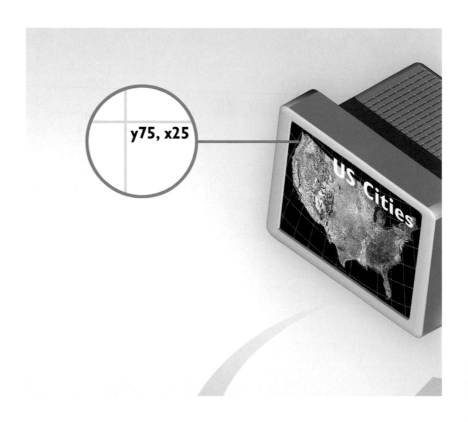

LOS gráficos denominados mapas de imágenes y las funciones llamadas formularios interactivos son dos de los ejemplos más comunes y útiles de la utilización de HTML. Los mapas de imágenes son imágenes estáticas que se han convertido en imágenes que, dependiendo de dónde se haga clic en ellas, se accede a un enlace o a otro. Los formularios interactivos son páginas basadas en HTML que usted rellena con información como su nombre, su dirección de email e información similar. Tanto los mapas de imágenes como los formularios interactivos se crean utilizando CGI (interfaz de pasarela común), un protocolo de comunicaciones a través del cual un servidor Web puede comunicarse con otras aplicaciones.

Se puede pensar en los mapas de imágenes como hipervínculos de alta calidad. Sin embargo, en vez de utilizar una palabra, un icono completo o una imagen como vínculo a otra página, la imagen está dividida en distintos segmentos, o coordenadas, que están vinculadas a distintas páginas HTML. Es decir, los mapas de imágenes llevan a otro documento a través de un área predefinida establecida para ellos dentro de una imagen. En cuanto hace clic con el ratón en una de estas áreas, un script CGI y un mapa de imagen especial coordinan el archivo .map para que funcione. Una aplicación CGI lee el archivo del mapa para que haga coincidir las coordenadas sobre las que hace clic un ratón con el URL correspondiente. Por ejemplo, imagine un mapa de los Estados Unidos en el que hace clic en Washington, D.C. En el código HTML para esa página, el mapa electrónico está rodeado por una etiqueta y un atributo llamado ISMAP. El código sería:

```
<A HREF="some.server/maps/clickable.map">
<IMG SRC="clickable.map" ISMAP>
</A>
```

Las coordenadas x,y del clic de su ratón se envían al servidor. El servidor recibe las coordenadas y, a continuación, las redirige a una aplicación CGI. La aplicación CGI escanea el archivo en busca de coordenadas coincidentes y, entonces, envía el URL correspondiente al servidor. Por último, si la página Web se encuentra en el mismo servidor, entrega dicha página Web al explorador del cliente. Si no es así, el servidor devuelve el URL al navegador del cliente que, a su vez, envía la petición al servidor correcto para esa página. En ese momento la página sobre Washington, D.C. empieza a cargarse en su ordenador. Entre bastidores, el servidor pasó las coordenadas de su clic de ratón a una aplicación CGI a través de CGI. Finalmente, CGI envió el URL de nuevo al servidor, que reenvió al navegador del cliente la nueva página Web.

Los formularios funcionan de forma diferente, aunque también utilizan CGI. En un formulario, cuando introduce información en una página Web, dicha información se dirige al servidor para ser procesada. A continuación, el servidor redirige la información a una aplicación CGI a la que se accede mediante el enviar (*submit*) del formulario. (Los scripts CGI son activados por el servidor en respuesta a una petición HTTP del cliente.) Finalmente, una aplicación CGI podría enviar los datos del formulario a otro programa informático, como una base de datos, guardarlos en un archivo o incluso generar un documento HTML único en respuesta a la petición del usuario.

Cómo funcionan los mapas de imágenes

1 En este ejemplo de mapa, el usuario hace clic en Seattle. La cuadrícula de coordenadas x,y es 75, 25. En el código HTML, el navegador reconoce el atributo de etiqueta de la imagen ISMAP. El clic del ratón activa el explorador para enviar la coordenada x,y del clic al servidor. También se envía al servidor la ubicación del archivo `National.map`.

x75, y25

Código HTML

2 El servidor transmite los datos de las coordenadas y del archivo del mapa a la aplicación CGI. La aplicación CGI hace coincidir las coordenadas con el URL solicitado por el usuario al hacer clic en esa área del mapa. Este URL se devuelve al servidor, y el servidor envía la página al cliente.

Petición 75, 25

Página o respuesta URL

3 El documento Web se entrega (si se encuentra en el mismo servidor) o se envía al explorador del cliente el nuevo URL.

4 El explorador del cliente muestra la página devuelta o (basándose en el URL adquirido) envía la petición al servidor correcto para la página.

Cómo funcionan los formularios interactivos

1 Cuando trabaja con un formulario interactivo, el usuario hace clic en el botón de envío de la entrada de datos. Los datos contenidos en los campos de datos se envían al servidor junto con la petición.

Home> Products> Windows: <

Login to Download

Login to Download

Name [＿＿＿＿＿＿＿]
Email [＿＿＿＿＿＿＿]
Postal Code [＿＿＿＿＿＿＿]

☑ Notify me of updates

Platform of product you are downloading:
[WINDOWS ⬦]

Are you using for:
[SELECT ⬦]

Do you own another product?
[SELECT ⬦]

Do you own a Palm OS device?
[SELECT ⬦]

[GO!]

Enviar datos
del formulario

2 Cuando el servidor recibe un formulario enviado, activa una aplicación CGI, un programa o un script que interactúa con el servidor Web. A continuación, pasa la información resultante al formulario Web. (La aplicación podría añadir los datos del formulario a una base de datos o compararlos con una lista de contraseñas de usuarios que reúnen los requisitos necesarios, entre otras tareas.) El resultado del programa se dirige bien a otro programa, como una base de datos, o a un documento HTML único, o a los dos.

Cómo funcionan los sitios Web con bases de datos

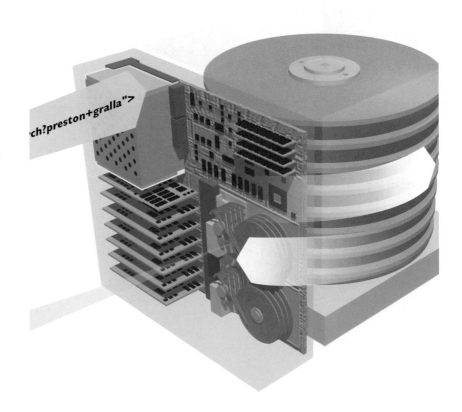

UNA de las aplicaciones más útiles de la Web es su capacidad de vincular un sitio Web con una base de datos de forma que los usuarios de la Web puedan buscar información. En esencia, la página Web se convierte en la interfaz de usuario para las aplicaciones de la base de datos, lo que le permite seleccionar los criterios de búsqueda y ejecutar incluso búsquedas complejas en una base de datos que se encuentra en el servidor.

Un ejemplo realmente famoso y utilizado con enorme frecuencia de este tipo de vínculo entre un sitio Web y bases de datos es el popular sitio Web Yahoo! (www.yahoo.es). El sitio Yahoo! funciona como interfaz de usuario para una extensa base de datos de descripciones de sitios Web entre los que se pueden realizar búsquedas utilizando palabras clave. La página de inicio incluye un cuadro de diálogo de búsqueda en el que se introduce una palabra clave que represente lo que esté buscando. Cuando hace clic en el botón **Buscar**, envía una petición desde el navegador al servidor Web para que le ofrezca una lista de todos los sitios Web que contienen esa palabra clave.

La Web no sólo le ofrece datos, también puede reunirlos. Por ejemplo, muchos sitios Web les piden a los usuarios que "registren" sus nombres, sus direcciones y otra información demográfica que, a continuación se captura y almacena en una base de datos.

Pero, ¿cómo funciona todo esto? No tiene que ser un gigante empresarial ni, en este caso, un programador competente, para vincular su sitio Web a la base de datos. De hecho, vincular un sitio Web a una base de datos puede ser una tarea relativamente sencilla. La base de datos puede aceptar prácticamente cualquier formulario, y puede ser tan simple como una base de datos FileMaker Pro o tan compleja como una base de datos Oracle SQL. Existen varias tecnologías que sirven de puente entre los sitios Web y las bases de datos, entre las que se incluyen, entre otras, Perl, .NET, CGI.

En el lado del cliente de la base de datos, usted ve la página Web que incluye un formulario en el que introduce los términos de búsqueda. Cuando ejecuta la búsqueda, el servidor Web pasa su información de búsqueda a un script CGI, que, a continuación, lleva a cabo dicha búsqueda en la base de datos. Así, una búsqueda en el sitio Yahoo! de una empresa de relaciones públicas podría tener este aspecto:

```
http://search.yahoo.es/bin/search?p-relaciones+públicas
```

Cuando el servidor Web recibe este URL, lo define como desencadenante de un script CGI (denominado búsqueda (*search*) en este ejemplo y lo pasa junto con los criterios de búsqueda (en este caso, relaciones públicas) a un miniprograma utilizando CGI. El script CGI envía a continuación la búsqueda a la base de datos, recibe los resultados, y los envía al servidor Web para que a su vez se los envíe al cliente. Esto implica una gran cantidad de peticiones y datos pero, normalmente, incluso las búsquedas en bases de datos de gran tamaño son muy rápidas, porque la mayoría de las bases de datos basadas en Linux, Unix y Windows, los tipos que se utilizan con más frecuencia, pueden llevar a cabo estas tareas de forma simultánea. Todo esto pasa entre bastidores, por supuesto; usted no tiene que llevar a cabo ningún tipo de tarea relacionada con la base de datos ni con el script. Los sitios Web que usted visita cuentan con interfaces fáciles de utilizar que son las que interactúan con las bases de datos; usted sólo tiene que escribir el término relacionado con lo que esté buscando.

Cómo funciona la Web con las bases de datos

Search: GRALLA

HELP

<a href="cgi-bin/search?gralla">

Respuesta HTTP

SEARCH RESULTS
Preston Gralla

Author of numerous books in the high tech field and a swell guy with tons of other fun

1 La búsqueda empieza en una página Web que incluye un campo de formulario que acepta términos de búsqueda y códigos HTML para ejecutar un script CGI. El navegador puede pasar los datos al servidor Web en una cadena de búsqueda. Esta cadena de búsqueda contiene el nombre del script CGI en un directorio llamado `cgi-bin`. Este directorio es seguido por parámetros de búsqueda que incluyen términos de búsqueda separados por el signo `&`. Se utiliza una interrogación para separar el nombre del script o el documento de los argumentos que hay que pasarle. Ciertos caracteres tienen que ser codificados cuando se utilizan en un URL. Por ejemplo, los espacios se sustituyen por signos `+`. Así, el código HTML para una búsqueda podría tener este aspecto:

```
<a href="cgi-bin/search?name=
preston+gralla&state=ma">
```

4 La base de datos devuelve los datos al servidor Web a través de CGI en forma de una nueva página HTML. A continuación, el servidor envía la página de vuelta al explorador del servidor como una nueva página HTML.

2 Cuando el servidor Web recibe el URL con los términos de búsqueda incrustados, envía la información a través del programa CGI a la base de datos. Normalmente el programa está almacenado en un directorio único que contiene todos los scripts CGI proporcionados por el servidor Web.

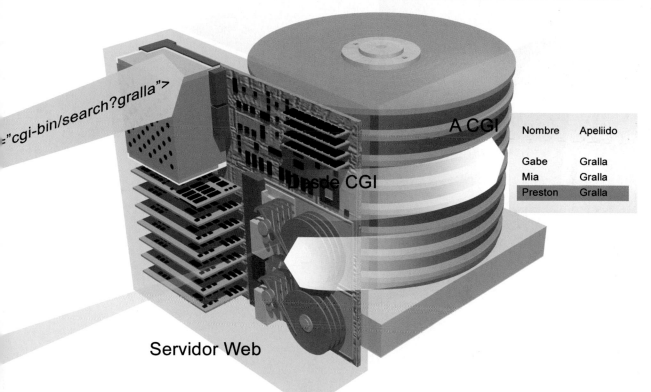

Servidor de bases de datos

Servidor Web

3 La base de datos recupera el registro o los registros que encajan con los criterios de búsqueda. El registro de la base de datos puede contener texto y datos numéricos además de referencias a gráficos o a otros tipos de datos.

5

Utilizar la Web

LAS tecnologías que sustentan la Web, como HTML, hipertextos, etc. son extraordinarias, como ya hemos visto, pero la verdadera esencia de la Web no se encuentra en sus tecnologías subyacentes, sino en cómo se utilizan esas tecnologías.

En esta sección de libro, analizaremos en detalle algunos de los usos más interesantes de la Web, específicamente, cómo funciona Internet y los sitios de mapas.

El capítulo 22, "Cómo funciona la búsqueda por Internet", examina los motores de búsqueda de Internet. Internet contiene una cantidad tan grande de información que a menudo es imposible encontrar exactamente lo que quiere. Los motores de búsqueda examinan por completo Internet, no sólo las páginas Web, sino también otros sitios como los grupos de noticias, y encuentran la información que usted está buscando basándose en las palabras clave que usted escribe.

El capítulo 23, "Cómo funcionan los sitios de mapas" nos muestra cómo funcionan los sitios Web de mapas como MapQuest y Google Earth. Estos sitios son sorprendentes; escriba una localización, o dos localizaciones, y en cuestión de segundos le proporcionarán un mapa detallado, o un mapa con las indicaciones para desplazarse entre dos ubicaciones. Como verá, la mayor parte del trabajo no se lleva a cabo propiamente en Internet, sino que, en primera instancia, es realizado por empresas que proporcionan los datos de mapas reales a estos sitios.

C A P Í T U L O

22

Cómo funciona la búsqueda por Internet

EXISTE una enorme cantidad de información disponible en Internet, pero hay tan poca organización que puede parecer imposible encontrar la información o los documentos que busca. Han surgido varias soluciones para resolver este problema. Dos de las más populares son los índices y los motores de búsqueda.

Los índices representan una forma altamente estructurada de encontrar información. Le permite navegar por la información a través de categorías, como artes, ordenadores, entretenimiento, deportes, etc. En un navegador Web, usted hace clic en una de las categorías, y accede a una serie de subcategorías. Por ejemplo, en la categoría deportes, encontraría fútbol, béisbol, baloncesto, hockey y tenis. Dependiendo del tamaño del índice, puede encontrarse con varias capas de subcategorías. Cuando entra en la subcategoría que le interesa, se le presenta una lista de documentos relevantes. Para acceder a esos documentos, tiene que hacer clic en ellos. Yahoo! (http://www.yahoo.es/) es el índice más grande y más popular de Internet. Yahoo! y otros índices también le permiten llevar a cabo búsquedas escribiendo palabras que describen la información que está tratando de encontrar. Esta acción le lleva a un conjunto de resultados de búsqueda, vínculos a documentos que se adecúan a su búsqueda. Para acceder a la información, sólo tiene que hacer clic en el vínculo que le interese.

Otra forma muy extendida de encontrar información es utilizando motores de búsqueda, también denominados herramientas de búsqueda. Los motores de búsqueda funcionan de forma distinta a como lo hacen los índices. Esencialmente son bases de datos masivas que cubren amplias franjas de Internet. Los motores de búsqueda no presentan la información en forma jerárquica. La búsqueda se realiza de la misma forma que en cualquier otra base de datos, escribiendo palabras clave que describen la información que desea localizar. (Muchos motores de búsqueda incluyen ahora también índices además de herramientas de búsqueda, pero se utilizan principalmente para llevar a cabo búsquedas.)

Para la mayoría de la gente, la búsqueda en Internet tiene un solo nombre, Google. Pero, en realidad, hay otros motores de búsqueda importantes, como Ask.com. Aunque los detalles de cómo funcionan los sitios de búsqueda difieren de una forma u otra, generalmente todos constan de tres partes: al menos un robot que se mueve por Internet reuniendo información, una base de datos que contiene toda la información reunida por los robots y una herramienta de búsqueda, que la gente utiliza para indagar en la base de datos. Los motores de búsqueda se actualizan de forma constante para presentar la información más al día, y contienen ingentes cantidades de información. Los motores de búsqueda extraen y crean índices de la información de forma diferente. Algunos realizan un índice de todas las palabras que encuentran en un documento, por ejemplo, y otros sólo las 100 palabras claves de cada documento. Algunos utilizan el tamaño del documento, otros los títulos, los subtítulos, etc.

Además, cada motor de búsqueda devuelve los resultados de forma diferente. Algunos valoran los documentos para mostrarle sus relevancia, otros muestran las primeras frases de los documentos, y los hay que muestran el título del documento, además del URL.

Cada uno de los muchos motores de búsqueda e índices de Internet tiene sus propios puntos fuertes y puntos débiles. Para lanzar la red más grande posible cuando esté buscando información, debería escrutar todos los que pueda. El problema es que hacer esto lleva demasiado tiempo. Por eso, se ha desarrollado un software denominado metabúsqueda. Con este software, como Copernic, usted escribe una búsqueda en su ordenador. El software envía la búsqueda a muchos motores e índices de Internet de forma simultánea, compila los resultados y después hace llegar los resultados a su ordenador. Para visitar cualquiera de los sitios resultantes, sólo tiene que hacer clic en el vínculo, igual que si estuviera en un índice o en un motor de búsqueda.

Cómo funcionan los motores de búsqueda de Internet

Gathered:
183 documents: 327 hyperlinks
Discorded:
23 WAIS databases 4,729 graphics files

RS.COM
link

Gathered:
73 documents: hyperlinks
0 WAIS databases: 144 graphics files

BOOKS.COM
link

1 Cada motor de búsqueda utiliza un robot con su propio conjunto de reglas en cuanto a la forma en la que se recopilan los documentos. Algunos siguen todos los vínculos de todas las páginas principales que encuentran y, a su vez, examinan todos los vínculos contenidos en esas páginas, y así sucesivamente. Algunos robots ignoran vínculos que llevan a archivos de gráficos, de sonido y de animación. Los hay que ignoran vínculos a ciertos recursos de Internet, como grupos de noticias, y algunos tienen instrucciones de buscar fundamentalmente en las páginas de inicio más populares. Un robot puede tardar entre varios segundos y muchos minutos en analizar cada sitio que encuentra, dependiendo del tamaño y de la complejidad del sitio.

2 Mientras el robot descubre documentos y URL, agentes de software reciben instrucciones para obtener URL y documentos y envían información sobre ellos al software de indexado.

Gathered:
487 documents: 938 h
Discorded:
69 WAIS databases 2, graphics files

WWW.MONEY.COM
link

Base de datos

ORDENADORES

ENTRETENIMIENTO

DEPORT

ARTE

3 Este software recibe los documentos y los URL del agente. El software extrae información de los documentos y la organiza colocándola en una base de datos. Cada motor de búsqueda extrae y organiza distintos tipos de información. Algunos indexan todas las palabras de un documento, por ejemplo, pero otros sólo lo hacen con las 100 palabras clave de cada uno; los hay que indexan los títulos y los subtítulos, etc. El tipo de índice creado determina qué clase de búsqueda puede llevarse a cabo con el motor de búsqueda y cómo se mostrará la información.

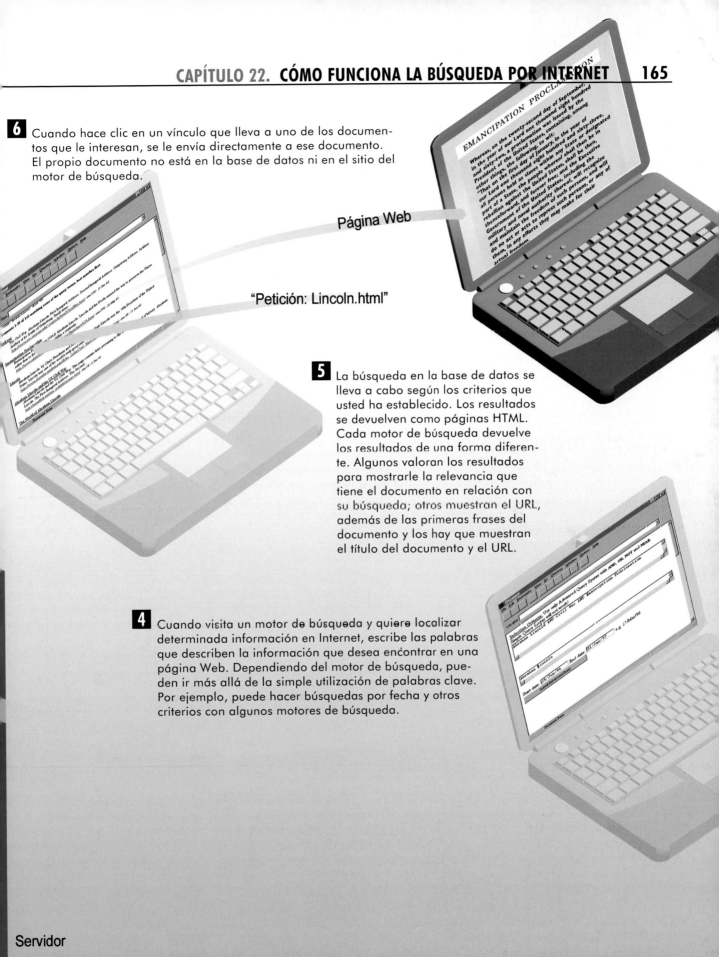

6 Cuando hace clic en un vínculo que lleva a uno de los documentos que le interesan, se le envía directamente a ese documento. El propio documento no está en la base de datos ni en el sitio del motor de búsqueda.

Página Web

"Petición: Lincoln.html"

5 La búsqueda en la base de datos se lleva a cabo según los criterios que usted ha establecido. Los resultados se devuelven como páginas HTML. Cada motor de búsqueda devuelve los resultados de una forma diferente. Algunos valoran los resultados para mostrarle la relevancia que tiene el documento en relación con su búsqueda; otros muestran el URL, además de las primeras frases del documento y los hay que muestran el título del documento y el URL.

4 Cuando visita un motor de búsqueda y quiere localizar determinada información en Internet, escribe las palabras que describen la información que desea encontrar en una página Web. Dependiendo del motor de búsqueda, pueden ir más allá de la simple utilización de palabras clave. Por ejemplo, puede hacer búsquedas por fecha y otros criterios con algunos motores de búsqueda.

Servidor

Cómo funciona el software de metabúsqueda

1 El software de metabúsqueda es un software que se ubica en su ordenador y le permite llevar a cabo búsquedas a través de muchos motores de búsqueda de Internet de forma simultánea y visualizar y utilizar los resultados. Cuando desee buscar algo en Internet, sólo tiene que escribir palabras descriptivas o un término de búsqueda en el software de metabúsqueda.

Software de metabúsqueda

Búsqueda

? Introduzca sus palabras o frase de búsqueda:

Preston's Picks

Preston's Picks

http://www.hotfiles/home.html
http://www.hotfiles/index.html
http://www.hotfiles/prespick/presmain.html

Preston's Picks

http://www.hotfiles/index.html
http://www.hotfiles/prespick/presmain.html

5 El agente envía los resultados de vuelta al software de metabúsqueda. Una vez que el agente envía su informe al software de metabúsqueda, se dirige a otro motor de búsqueda y envía una búsqueda en la sintaxis adecuada de ese motor y, de nuevo, envía los resultados al software de metabúsqueda.

Preston's Picks

http://www.hotfiles/home.html
http://www.hotfiles/index.html
http://www.hotfiles/prespick/0401/pc.html

Preston's Picks

http://www.hotfiles/prespick/0401/pc.html
http://www.hotfiles/prespick/pres0401.html
http://www.hotfiles/prespick/0401/pc.html

6 El software de metabúsqueda coge todos los resultados de los motores de búsqueda y los examina en busca de resultados duplicados. Si encuentra resultados repetidos, los elimina. A continuación, muestra los resultados de la búsqueda, clasificando cada uno de ellos por la probabilidad de que contenga la información que usted solicitó. Lleva a cabo esta clasificación examinando el título del sitio encontrado, la información de encabezado del sitio y las palabras incluidas en el sitio.

Resultados

	✔	Title	Address	Rank	Hit Count	Date Found
	☐	ZDNet Software Library - Top Rated Home & ...	http://www.hotfiles.com/home.html	8	2	5/8/98 4:16:10
		write("); Home & Education options Make the grade in math. You need not be a believer to appreciate Bible's poetry and parables.				
	☐	ZDNet Software Library - Top Rated Shareware	http://www.hotfiles.com/index.html	2	3	5/8/98 4:16:10
		.leftnav2 { color: #FFFF00; } .leftnav { color: white; } = 3.0) {btype=1;} else if (browser_name == Microsoft Internet Explorer && browser_version = 3.0) {btype=1;} // popup window //interURL = url; if (btype==1) { var ApplyWindow = window. Our collection of top-rated b...				
	■	ZDNet Software Library - Preston's Picks	http://www.hotfiles.com/prespick/presmain.html	1	5	5/8/98 4:16:10
		Preston Gralla, ZDNet's "shareware guru," is executive editor of software for ZDNet. Each month, Preston selects his favorite new shareware programs from the ZDNet Software Library, giving you a chance to download the very best we have to offer.				
	☐	Preston's Picks for April	http://www.hotfiles.com/prespick/0498/pc.html	5	1	5/8/98 4:16:10
		It also lets you create playlists of your files, so that you can in essence put together your own multimedia album. .. - Chris Wilson Fakalofa, Kia ora, Preston, ... - Slone My sympathies to owners of Win.				
	☐	Preston's Picks for April	http://www.hotfiles.com/prespick/.../pres0498.html	6	2	5/8/98 4:16:10
		var cleargif_date=(new Date()). .. - Preston Gralla Clyde: We use cookies for our ... - Preston Gralla Just wanted to say THANKS for ... - Larry D. Stauffer Hey Clyde, you should have thr.				
	☐	ZDNet Software Library - Preston's Picks for ...	http://www.hotfiles.com/prespick/pres1097.html	6	1	5/8/98 4:16:10
		ZDNet Software Library - Preston's Picks for October Join for FREE! Editors' Picks / Preston's Picks Downloads Internet Explorer 4.... 10/06/97				

2 El software de metabúsqueda envía muchos "agentes" a Internet simultáneamente (dependiendo de la velocidad de su conexión, normalmente entre 4 y 8, pero puede llegar a enviar hasta 32 agentes diferentes, e incluso más). Cada agente se pone en contacto con uno o más motores de búsqueda o índices, como Yahoo!, Lycos, o Excite.

3 Los agentes son lo suficientemente inteligentes como para saber cómo funciona cada motor de búsqueda, por ejemplo, si un motor determinado utiliza búsqueda booleanas (mediante variables del tipo AND, OR, etc.). Los agentes también conocen la sintaxis exacta que necesita cada motor. Los agentes ponen los términos de búsqueda en la sintaxis adecuada necesaria para cada motor y envían la búsqueda; no tienen que rellenar formularios, como deben hacer normalmente los usuarios en los motores de búsqueda.

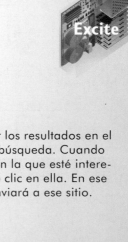

Yahoo!

Alta-Vista

Lycos

Excite

Agente

Agente

av.yahoo.com/query?p=preston%27s+pickshc=0&hs=0

http://www.hotfiles/home.html
http://www.hotfiles/index.html
http://www.hotfiles/prespick/presmain.html

www.altavista.com/cgi-bin/query?pg=q&what=web&kl=ZZ&q=preston%27s+picks

http://www.hotfiles/index.html
http://www.hotfiles/prespick/presmain.html

4 Los motores de búsqueda informan de los resultados de la búsqueda a cada agente. Estos resultados incluyen generalmente el URL de cada sitio que envía la búsqueda, y con frecuencia un resumen de la información encontrada en el sitio, la fecha en la que se actualizó por última vez el sitio y otros datos.

Agente

Agente

www.lycos.com/cgi-bin/pursuit?matchmode=and&cat=lycosquery=preston%27s+picks

http://www.hotfiles/home.html
http://www.hotfiles/index.html
http://www.hotfiles/prespick/0401/pc.html

search.excite.com/searxh.gw?search=preston%27s+picks

http://www.hotfiles/prespick/0401/pc.html
http://www.hotfiles/prespick/pres0401.html
http://www.hotfiles/prespick/0401/pc.html

Página Web

7 Usted navega por los resultados en el software de metabúsqueda. Cuando vea una página en la que esté interesado, haga doble clic en ella. En ese momento se le enviará a ese sitio.

CAPÍTULO

23

Cómo funcionan los sitios de mapas

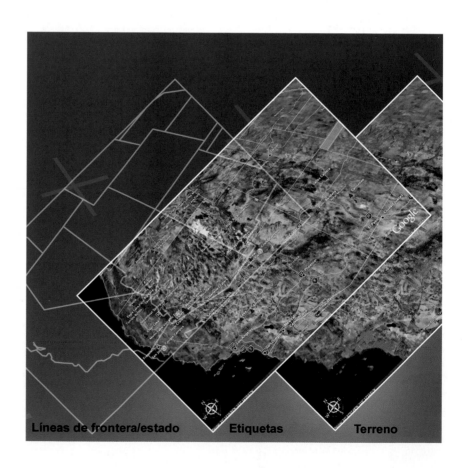

Líneas de frontera/estado   Etiquetas   Terreno

¿**SE** va de vacaciones a EEUU y necesita saber cómo ir en coche de Cincinnati a Seattle? ¿Le apetece buscar restaurantes afganos en Cambridge, Massachusetts? ¿Desea conseguir un mapa detallado de Lubbock, Texas?

Todo eso, y más, lo encontrará en los sitios de mapas de Internet. Existen varios sitios Web de mapas que puede visitar pero, los dos más populares son MapQuest y Google Maps. MapQuest es el más antiguo, el más conocido y el más especializado. Ofrece mapas y direcciones, pero no mucho más. Google Maps, por el contrario, le ofrece asimismo la posibilidad de encontrar información local sobre los mapas que está buscando, como restaurantes cercanos, museos, etc.

Aunque los sitios de mapas tienen un aspecto diferente, e interfaces distintas, si echa un vistazo a lo esencial, todos ellos funcionan de forma relativamente similar.

Los sitios de mapas, como regla general, no crean realmente la información subyacente sobre los mapas por ellos mismos. Lo que hacen es obtener esa información de un proveedor comercial de información sobre mapas. Estos proveedores normalmente venden información sobre mapas no sólo a estos sitios, sino también a negocios particulares que necesitan este tipo de información.

Los proveedores actualizan de forma regular los mapas que venden a los sitios de mapas de formas diferentes. Normalmente contratan gente que conduce físicamente por las calles y, a continuación, actualiza los mapas para que reflejen cualquier nueva construcción, cambios en las calles y en los lugares turísticos, etc.

Los proveedores de mapas ofrecen más que simple información sobre mapas a los sitios especializados en éstos como MapQuest y Google Maps. Proporcionan además una base de datos que calcula la mejor ruta en coche entre dos puntos.

Los sitios de mapas pueden utilizar básicamente las mismas bases de datos de mapas, o bases de datos similares, pero las características que ofrecen a los visitantes, y la interfaz que utilizan para entregar estas características, son bastante diferentes.

Por ejemplo, MapQuest utiliza una interfaz HTML sencilla y básica, y se concentra en las indicaciones y los mapas.

Por el contrario, Google Maps utiliza una interfaz mucho más interactiva que permite que los visitantes hagan zoom para acercarse o para alejarse fácilmente, cambien a la vista por satélite, y naveguen por los mapas arrastrando con el ratón. Google Maps hace esto utilizando una técnica denominada AJAX.

Google ofrece además una herramienta más sofisticada que simples mapas, lo que se denomina Google Earth. Google Earth le permite "volar" a cualquier lugar de la tierra en un tour virtual, utilizando fotografías y animaciones de alta resolución.

Cómo funcionan los sitios de mapas

1 Los sitios de mapas como MapQuest y Google Maps no crean sus propios mapas. Lo que hacen es comprar mapas y bases de datos de mapas de otras empresas. Uno de los principales proveedores de datos sobre mapas es la empresa norteamericana Navteq.

2 Navteq cuenta aproximadamente con 600 investigadores y oficinas en 23 países. Estos investigadores mantienen al día los datos sobre mapas conduciendo por las distintas regiones, añadiendo nuevas calles, actualizando cambios en calles existentes y apuntando señales y lugares turísticos.

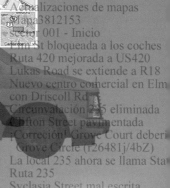

Actualizaciones de mapas
Mapa3812153
Sector 001 - Inicio
St bloqueada a los coches
Ruta 420 mejorada a US420
Lukas Road se extiende a R18
Nuevo centro comercial en Elm con Driscoll Rd
Circunvalación 235 eliminada
Clifton Street pavimentada
¡Corrección! Grove Court debería Grove Circle (i26481j/4bZ)
La local 235 ahora se llama Sta
Ruta 235
Syclasia Street mal escrita
- actualizar Syclasa Street

3 Esta información compilada por los investigadores se coloca en una enorme base de datos sobre mapas.

4 La base de datos se envía a un sitio de mapas, como MapQuest. Esta base de datos se actualiza de forma regular, por lo que MapQuest puede ofrecer la información más actual.

¿Instrucciones de A a B?

5 Cuando escribe una petición de indicaciones para ir de un punto a otro en coche en MapQuest, su petición se dirige a un servidor Geocoding. La tarea de este servidor es decidir qué mapas exactamente necesitan mostrarse. Coge las direcciones que usted escribe, y determina sus coordenadas de longitud y latitud precisas.

¿Indicaciones de ruta?

6 Envía esas coordenadas a un servidor de mapas, y le pide al mapa que se ajuste a ese conjunto de coordenadas de inicio y fin. El servidor de mapas coge la información sobre el mapa y la envía a un servidor de ruta. Este servidor examina las direcciones de partida y de destino. Utiliza un complejo conjunto de algoritmos para determinar cuál es la ruta más rápida.

7 Estos algoritmos consideran muchos factores. Consideran la longitud de cada segmento, y la velocidad media a la que se supone que viajaremos. Cada segmento tiene también un "pronóstico" que determina la probabilidad de que el conductor tenga que reducir su velocidad. Tiene en cuenta cosas como cambios de dirección, semáforos y zonas con límite de velocidad. Asigna un número del 1 al 5 para cada segmento de la carretera. Los marcados con el número 1 son los que tienen menos posibilidades de retraso (una autopista interestatal, por ejemplo) y los asignados con el 5 son los que más probabilidades tienen de hacerle reducir su velocidad (por ejemplo, una carretera local).

La ruta B es normalmente la más rápida. Aquí tiene el mapa y las indicaciones paso a paso.

Ruta A   Ruta B   Ruta C

8 Basándose en los algoritmos, calcula las instrucciones. Las indicaciones y el mapa adecuados se entregan a la persona que los solicita, todo en cuestión de segundos.

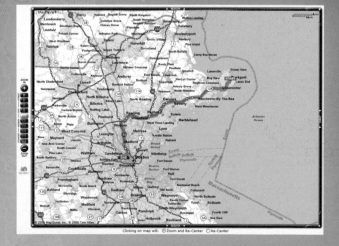

Cómo funciona Google Earth

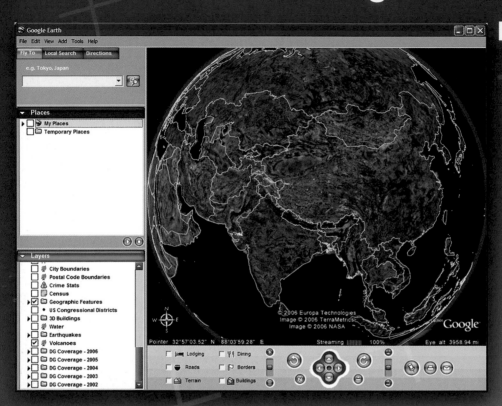

1 Google Earth fue inicialmente creado por una empresa llamada Keyhole, y originalmente su nombre era Earth Viewer. Google compró esta compañía y su software, y lo rebautizó, denominándolo Google Earth. Keyhole continúa produciendo el software. Este software consigue las fotografías utilizadas en Google Earth de muchas formas diferentes, como utilizando aviones y satélites. En algunos casos, incluso utiliza globos y cometas.

2 Uno de los medios que utiliza Google Earth para conseguir fotografías es a través de reconocimientos aéreos. Se coloca una cámara giroscópica estabilizada en un avión que vuela a una altura de entre 4.500 metros y 9.000 metros. La altura exacta a la que vuela depende de la resolución de las imágenes. El plano registra una ruta específica sobre el área de la que se desea crear un mapa, y toma una serie de fotografías superpuestas. Esta superposición se utiliza de forma que se pueda proporcionar el detalle suficiente para que se pueda eliminar cualquier distorsión producida por las variaciones en la forma de la superficie terrestre.

3 El carrete se convierte a formato digital usando escáneres con resoluciones superiores a 1.800 ppp (puntos por pulgada). Las imágenes digitales resultantes se limpian y se equilibra su color, y se crea un mosaico del área para Google Earth.

4 En la parte superior de las fotografías, Google añade capas de información, como parques, fronteras, nombres de calles, escuelas, museos y otro tipo de información. Esta información es recopilada por el programa utilizando muchas fuentes, entre las que se incluyen agencias gubernamentales y proveedores de datos comerciales.

5 Para utilizar Google Earth, primero necesita descargar e instalar el software Google Earth.

6 Cuando abre Google Earth, las fotografías y los mapas no están en su ordenador local. Proceden de los servidores de Google, que tienen muchos terabytes de datos de mapas y fotografías.

6

Entretenimiento y opciones multimedia en Internet

PROBABLEMENTE la parte más espectacular y destacable de Internet es el contenido multimedia y de entretenimiento que puede encontrar allí. Puede escuchar música, clips de sonido y emisoras de radio en directo desde su ordenador. Puede compartir sus archivos de música favoritos con otras personas de todo el mundo. Puede ver clips de vídeo de noticias y de otros acontecimientos. Incluso puede realizar videoconferencias en directo con personas que se encuentren en cualquier lugar del mundo.

Puede hacer todo eso con las capacidades de audio y de vídeo que le ofrece Internet. No necesitará hardware ni software de alto coste para hacerlo; tiene a su disposición software barato o incluso gratuito que funciona a la perfección, junto con una tarjeta de sonido y unos altavoces que normalmente vienen con el ordenador, o que están disponibles de forma individual.

Las capacidades multimedia de Internet van más allá de la simple reproducción de clips de audio y de vídeo y de la emisión de radio por Internet. Puede participar en mundos virtuales y unirse a muchas sesiones de chat en las que crea su propio personaje online, denominado avatar, que se comunica con otros avatares. Internet permite la creación de contenido multimedia digno de mención online, en el que se puede combinar animación, sonido y programación a través de tecnologías tales como el *streaming* de audio y vídeo, Flash e IP multicast.

En esta sección del libro veremos cómo funcionan los aspectos más importantes de las opciones multimedia y de entretenimiento en Internet. El capítulo 24, "Cómo funcionan la música y el audio en Internet", trata del audio y de la música. Veremos cómo se envían los archivos de audio a su ordenador, y cómo se reproducen. Hablaremos en detalle de cómo funciona el *streaming* de audio. Esta tecnología le permite reproducir sonidos y música en su ordenador mientras se está transfiriendo el archivo de audio a su ordenador, por lo que no tiene que esperar a que se descargue el archivo.

En este capítulo trataremos asimismo la utilización del formato de música más popular de Internet, MP3. Los MP3 son archivos de sonido de calidad casi de CD, pero que son lo suficientemente pequeños como para poder ser descargados con comodidad. Veremos también cómo funciona la emisión de radio por Internet. Cada vez con más frecuencia, las emisoras de radio emiten en directo por Internet, por lo que puede escucharlas utilizando un software especial o simplemente a través de su navegador. Muchas de estas emisoras son exclusivas de Internet y sólo emiten online, aunque muchas emisoras de radio convencionales de todo el mundo emiten también por Internet.

El capítulo 25, "Cómo compartir música y archivos", trata uno de los usos más polémicos de Internet, la forma en la que se puede compartir archivos con otras personas. Veremos el funcionamiento interno del software necesario para compartir archivos que permite que cualquiera descargue su música favorita de otros amantes de la música, a la vez que hace que su música esté disponible también para los demás. Además, le permite compartir otro tipo de archivos, como películas. El capítulo también se adentra en la utilización de BitTorrent, el software más novedoso para compartir archivos, que incluso los estudios cinematográficos han empezado a utilizar.

Cómo funcionan la música y el audio en Internet

LOS sonidos, las voces y la música son una parte cotidiana de Internet. A través de Internet, puede escuchar emisoras de radio, entrevistas, música, clips de sonido, y otras muchas cosas.

Puede escuchar toda esta música y sonidos descargando archivos de audio, archivos que han sido digitalizados de forma que puedan ser reproducidos por un ordenador. Encontrará una gran cantidad de archivos de música y clips de sonido online en distintos formatos de sonido. Cada uno de estos formatos tiene una extensión distinta asociada a él, como .wav, .mp3, o .au. Para reproducir estos archivos, primero tiene que descargarlos y descargar también software de reproducción de audio para poder escucharlos en su ordenador. Todos los ordenadores más nuevos tienen este software incluido, por ejemplo Windows Media Player, iTunes, RealPlayer o Musicmatch Jukebox.

También puede escuchar música procedente de Internet sin tener que descargar primero archivos de música a su ordenador. Esto se hace a través de lo que se denomina *streaming* de audio. Con esta técnica, no tiene que esperar hasta que todo el archivo de audio está descargado para reproducirlo. Por el contrario, usted escucha el audio mientras se descarga en su ordenador. Existen diversas tecnologías que hacen posible este *streaming* de audio. En todas ellas, necesitará tener el reproductor de audio adecuado para cada tipo específico de archivo de audio de esta clase. En este capítulo analizaremos una de las tecnologías más populares del *streaming* de audio, RealPlayer. Existen otras tecnologías de este tipo, como la utilizada por el Windows Media Player. Sin embargo, todas las tecnologías *streaming* funcionan de forma similar.

Uno de los problemas que presenta el *streaming* de audio es que la calidad del sonido, en general, no es tan buena como la ofrecida por un CD de música, aunque la calidad se está mejorando continuamente. Sin embargo, MP3, uno de los tipos de archivos de audio más populares, sí ofrece audio con calidad de CD. Además, los propios archivos MP3 no son demasiado grandes, normalmente menos de 4MB o 5MB por canción. Con otros tipos de tecnología de música por Internet, estas canciones pueden llegar a tener un tamaño de 20MB e incluso más.

Se han desarrollado tecnologías que permiten que los archivos MP3 puedan escucharse mientras se descargan en su ordenador. Esta tecnología le ofrece lo mejor de los dos mundos: sonido de alta calidad sin tener que esperar a que se descargue todo el archivo.

Una de las novedades más interesantes en relación con la utilización de audio en Internet es la posibilidad de escuchar emisoras de radio de todo el mundo. Cada vez más emisoras de radio emiten en directo por Internet, utilizando la misma técnica *streaming*, y puede escucharlas directamente desde su navegador o usar un software como RealPlayer o Windows Media Player. Han surgido emisoras de radio completamente nuevas que emiten de forma exclusiva a través de Internet.

Cómo funciona el streaming de audio con RealPlayer

1 Cuando utiliza su navegador Web para hacer clic en un clip de sonido RealPlayer en una página de inicio, el vínculo no le lleva directamente a un archivo de sonido. Lo que hace su navegador Web es contactar con el servidor Web que entonces envía un archivo denominado metarchivo RealPlayer de nuevo a su navegador. Este metarchivo es un pequeño archivo de texto que contiene la verdadera ubicación, el URL, del archivo de sonido RealPlayer que desea reproducir. Este metarchivo tiene también instrucciones para indicarle a su navegador Web que abra el reproductor de sonido RealPlayer, que es necesario para reproducir el clip.

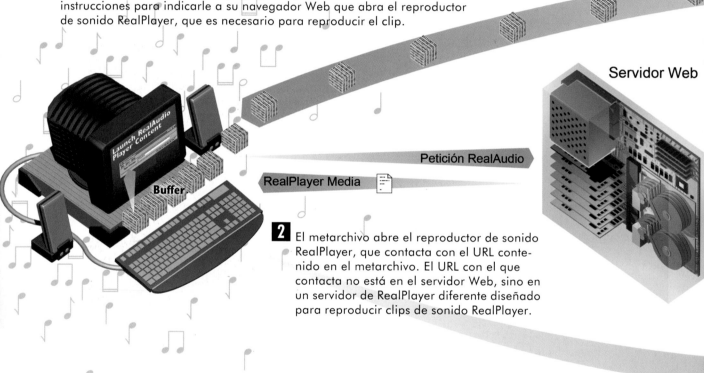

Servidor Web

Petición RealAudio

RealPlayer Media

Buffer

2 El metarchivo abre el reproductor de sonido RealPlayer, que contacta con el URL contenido en el metarchivo. El URL con el que contacta no está en el servidor Web, sino en un servidor de RealPlayer diferente diseñado para reproducir clips de sonido RealPlayer.

5 Los paquetes se envían a un buffer en el ordenador receptor. Cuando los paquetes exceden la capacidad del buffer, se envían al reproductor RealPlayer, que procede a reproducir el archivo de sonido. RealPlayer le permite ir hacia adelante y hacia atrás en un clip de sonido o de música. Cuando se mueve a un lugar distinto en el clip, el reproductor RealPlayer se pone en contacto con el servidor y le dice que empiece a enviar el archivo desde esa nueva ubicación en el clip.

4 El clip de RealPlayer se comprime y se codifica. El archivo de sonido es demasiado grande y lleva demasiado tiempo enviarlo y reproducirlo si no está comprimido. El clip se envía en paquetes IP utilizando el protocolo UDP (Protocolo de Datagramas de Usuario) en lugar del protocolo TCP (Protocolo de Control de Transmisión), que suele ser el que se utiliza normalmente en Internet. A diferencia de TCP, UDP no reenvía los paquetes si están mal colocados o si se dan otros problemas. Si los paquetes tuvieran que ser reenviados, el reproductor de sonido en el extremo receptor se vería constantemente interrumpido por los paquetes, y no podría reproducir el clip.

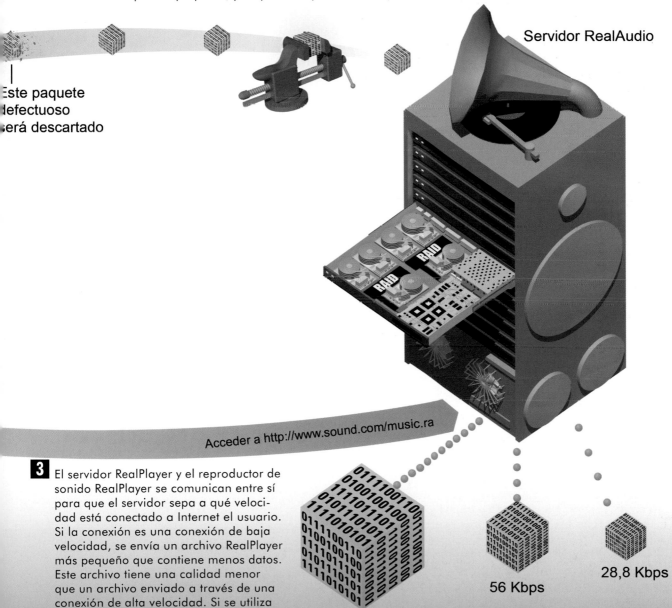

Este paquete defectuoso será descartado

Servidor RealAudio

Acceder a http://www.sound.com/music.ra

Cable/DSL

56 Kbps

28,8 Kbps

3 El servidor RealPlayer y el reproductor de sonido RealPlayer se comunican entre sí para que el servidor sepa a qué velocidad está conectado a Internet el usuario. Si la conexión es una conexión de baja velocidad, se envía un archivo RealPlayer más pequeño que contiene menos datos. Este archivo tiene una calidad menor que un archivo enviado a través de una conexión de alta velocidad. Si se utiliza una conexión de alta velocidad, se envía un archivo de sonido más grande, de mayor calidad. Esto proporciona una mejor calidad de sonido.

Cómo funcionan los archivos de música MP3

Ripeador MP3

Obtener archivo MP

1 Una de las formas más populares de distribuir música por Internet es utilizando archivos de música MP3. Los archivos utilizan algoritmos especiales que disminuyen el tamaño de los archivos manteniendo una calidad similar a la de los CD. Sin embargo, antes de cargar los archivos MP3, es necesario grabar la música. La música se graba de la misma forma en la que se graba cualquier otro tipo de música, y, a continuación, se incluye en un CD.

2 La música procedente del CD tiene que convertirse a formato MP3 de forma que pueda colgarse en Internet. Una forma típica de convertir la música es utilizando un ripeador, un software que coge la música de un CD y la convierte a formato MP3. El software utiliza algoritmos especiales que disminuyen el tamaño del archivo dramáticamente, de forma que una canción normal puede ocupar menos de 3MB y seguir manteniendo una alta calidad. (En tipos anteriores de formatos de música de PC, estos archivos ocuparían 20MB o más.) Esta mezcla de tamaño pequeño y alta calidad es lo que distingue el estándar MP3 de otros formatos de música en Internet.

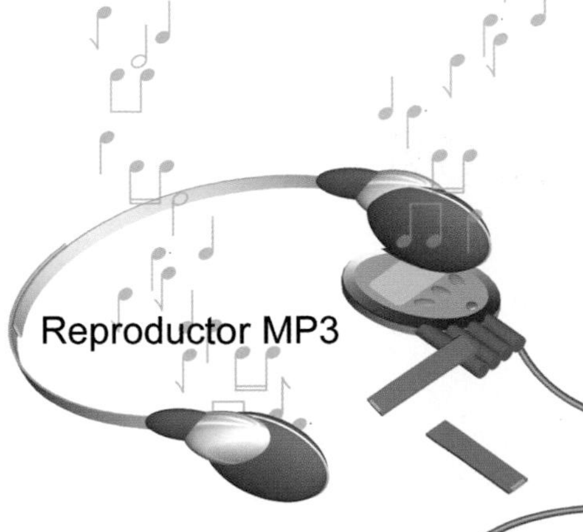

7 Los archivos MP3 pueden transferirse de un ordenador a un reproductor MP3 portátil, un pequeño dispositivo de audio que puede reproducir música en formato MP3. Los archivos MP3 se almacenan en una tarjeta de memoria y pueden borrarse o sobrescribirse para incluir nuevos archivos MP3.

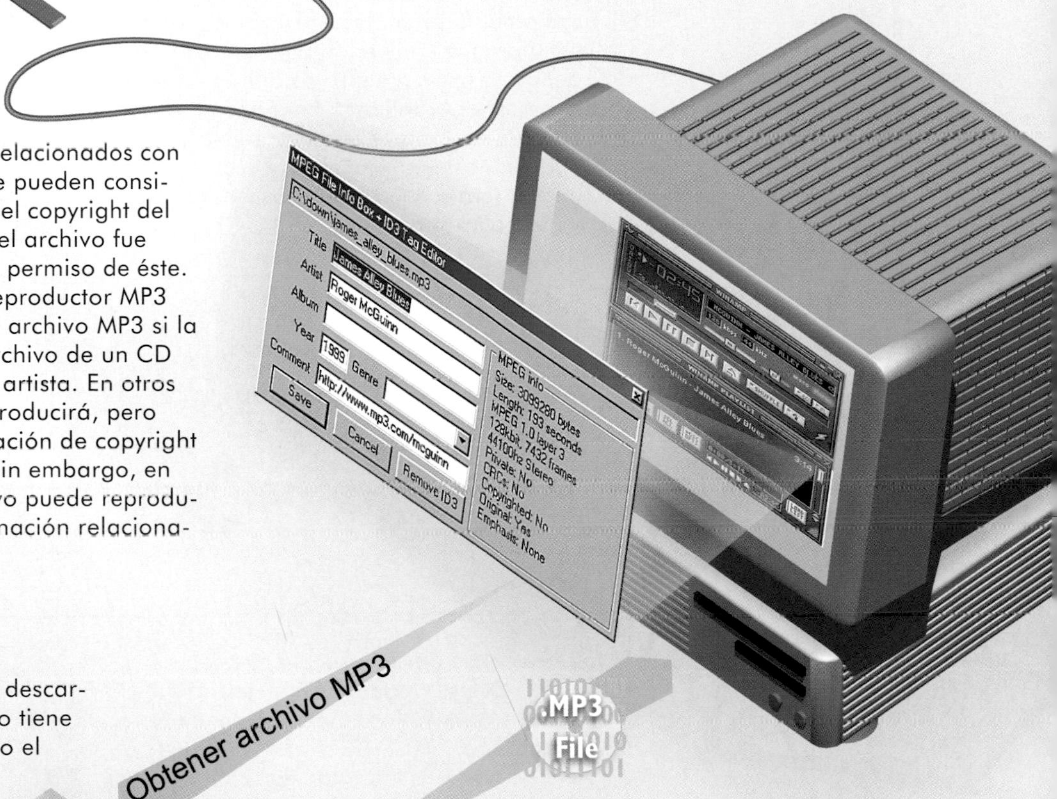

Reproductor MP3

6 Uno de los problemas relacionados con los archivos MP3 es que pueden considerarse una violación del copyright del artista, por ejemplo, si el archivo fue creado y cargado sin el permiso de éste. En algunos casos, un reproductor MP3 no podrá reproducir un archivo MP3 si la persona que ripeó el archivo de un CD no tenía el permiso del artista. En otros casos, el archivo se reproducirá, pero puede contener información de copyright sobre el archivo MP3. Sin embargo, en muchos casos, el archivo puede reproducirse y no incluye información relacionada con el copyright.

4 Cuando alguien quiere descargar el archivo MP3, sólo tiene que visitar el sitio Web o el sitio de descarga FTP y descargar el archivo en su ordenador.

Obtener archivo MP3

.MP3 File

.MP3 File

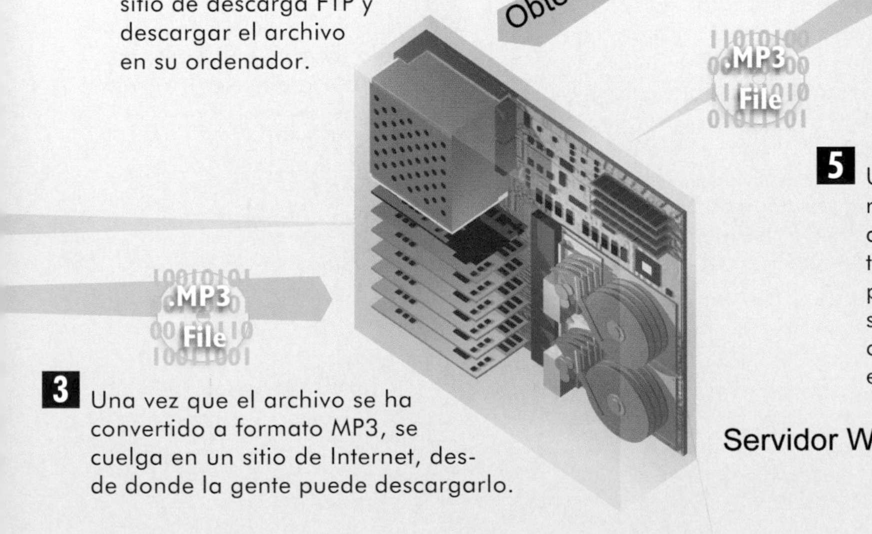

5 Una vez descargado el archivo, puede reproducirse con un software especial denominado reproductor de MP3. Algunos tipos de software y servidores de Internet puede reproducir el archivo MP3 mientras se está descargando. En la mayoría de los casos, sin embargo, se descarga primero el archivo y después se reproduce.

.MP3 File

3 Una vez que el archivo se ha convertido a formato MP3, se cuelga en un sitio de Internet, desde donde la gente puede descargarlo.

Servidor Web

Cómo funciona la emisión de radio por Internet

1 Existen dos tipos principales de emisiones de radio por Internet, las emisoras de radio tradicionales que emiten también a través de las ondas de radio y emisoras que lo hacen exclusivamente por Internet. En ambos casos, la emisora de radio reproduce música, noticias y otros tipos de emisiones prácticamente de la misma forma en la que lo hacen las emisoras de radio normales.

Servidor Web

Convertidor

Obtener emisión

2 Para poder oírse por Internet, la emisión de radio tiene que ser modificada y convertida a un formato que los ordenadores puedan leer y reproducir. Existen distintos formatos disponibles, los más importantes RealPlayer y Windows Media Player. El software convierte la emisión normal a uno de estos dos formatos. (Para descargar RealPlayer, diríjase a www.realnetworks.com. Si desea acceder a Windows Media Player, vaya a www.microsoft.es. Hay otros software que le permiten escuchar la radio por Internet, como Musicmatch, que encontrará en www.musicmatch.com.)

3 Un servidor de Internet contiene la emisión en directo en formato RealPlayer o Windows Media Player.

6 El software de cliente reproduce entonces la emisión en directo en el ordenador. La emisión puede controlarse como si escucháramos una radio normal, podemos subir y bajar el sonido, y, dependiendo del software utilizado, se puede modificar la calidad del sonido. En general, cuando más alta sea la velocidad de conexión entre el ordenador y el servidor Web, mayor será la calidad del audio de la emisión.

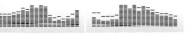

5 Cuando se hace clic en un vínculo, el software de cliente se pone en contacto con el servidor. El servidor envía la emisión al PC como una corriente continua.

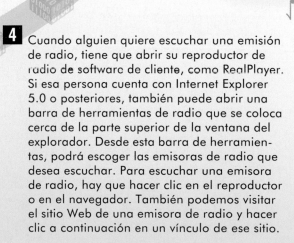

4 Cuando alguien quiere escuchar una emisión de radio, tiene que abrir su reproductor de radio de software de cliente, como RealPlayer. Si esa persona cuenta con Internet Explorer 5.0 o posteriores, también puede abrir una barra de herramientas de radio que se coloca cerca de la parte superior de la ventana del explorador. Desde esta barra de herramientas, podrá escoger las emisoras de radio que desea escuchar. Para escuchar una emisora de radio, hay que hacer clic en el reproductor o en el navegador. También podemos visitar el sitio Web de una emisora de radio y hacer clic a continuación en un vínculo de ese sitio.

CAPÍTULO

25

Cómo compartir música y archivos

DE vez en cuando, aparece una nueva característica o aplicación que invade Internet y no sólo cambia la forma en la que mucha gente la utiliza, sino que también, en ocasiones, cambia incluso el mundo más allá de las fronteras de Internet.

Hace algunos años, esto es lo que pasó con el software para compartir música. No sólo cambió la forma en la que muchas personas usaban Internet, además, amenazó la industria musical y sus miles de millones de dólares. El software para compartir música cambió para siempre la forma en la que consideramos y escuchamos la música.

Todo esto se hizo poniendo en marcha una idea muy sencilla, dejar que las personas compartan su música unos con otros a través de Internet. A pesar de todo el boom, la tecnología y los pleitos, a eso es a lo que se reduce.

La gente puede hacer copias digitales de sus CD utilizando un software de ripeado que convierte las pistas de CD en archivos digitales, que pueden reproducirse en un ordenador; lo más normal es que estos archivos se conviertan al formato de música .mp3.

El software que se utiliza para compartir archivos y música no ripea archivos. Lo que hacen es permitir que la gente encuentre música y otros archivos en formato digital buscando por las colecciones de música de miles de personas. Cuando alguien localiza una canción, puede descargarla a su ordenador. A continuación, puede escuchar esa canción en su ordenador transfiriéndola a un reproductor MP3 y escuchándola allí, o grabándola en un CD y escuchándola en un reproductor de CD.

La industria de la música gritó ¡No! y demandó al software original para compartir archivos, Napster, por violaciones del copyright. El proceso legal se demoró un tiempo pero, al final, Napster perdió y fue retirado del negocio. Ha resurgido como un servicio legal de pago para compartir música.

Sin embargo, a pesar de las demandas, el genio ha salido de la botella. Otros software y redes para compartir archivos permiten que la gente haga lo mismo.

Este tipo de tecnología, que permite que la gente comparta archivos directamente entre sí, se denomina P2P (de punto a punto). P2P ha ido mucho más allá de simplemente permitir que la gente comparta música; se puede compartir cualquier tipo de archivo, desde hojas de cálculo a películas. La red P2P BitTorrent, por ejemplo, se utiliza con frecuencia para compartir películas y CD completos.

Ha surgido toda una nueva clase de aplicaciones tras la estela de Napster: el software P2P comercial. El ejemplo más importante es el software Groove, de Microsoft, que permite que la gente de las corporaciones cree su propio espacio de trabajo privado en el que pueden compartir archivos, mensajes y software. Ya hay corporaciones multimillonarias que lo han contratado y están utilizando este software.

Además, las empresas también utilizan BitTorrent como forma de distribuir software de forma más eficaz. En consecuencia, irónicamente, una tecnología que empezó como software tipo "guerrilla" para compartir archivos podría haber llegado a buen término como uno de los pilares de las grandes empresas.

Cómo comparte el software P2P archivos y música

1 Esta ilustración muestra cómo funcionaba Kazaa. Kazaa fue una vez el software para compartir archivos más famoso, pero fue quitado de la circulación por motivos legales. Pero otros software para compartir archivos funcionan de forma similar, por lo que esta ilustración muestra cómo funcionan éstos también. Para utilizar Kazaa, descárguelo e instálelo en su ordenador. Una vez instalado el software, se conecta a un servidor Kazaa, que envía a su ordenador una lista de "supernodos" existentes en la red de Kazaa. Estos supernodos funcionan como sitios de búsqueda localizada en la red Kazaa para compartir archivos. Son ordenadores normales que la red reconoce como ordenadores con conexiones de alta velocidad y poderosos procesadores. Así, dependiendo de la velocidad de su PC y de la conexión a Internet, podría ser diseñado como supernodo en algún momento.

2 Su PC se pone en contacto con un supernodo cercano y le envía la información sobre toda la música que hay en su ordenador, la ubicación de esa música en su ordenador, su dirección IP y su ID de Kazaa.

3 El supernodo pone la información en su base de datos.

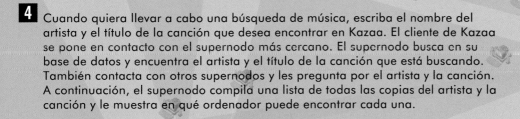

4 Cuando quiera llevar a cabo una búsqueda de música, escriba el nombre del artista y el título de la canción que desea encontrar en Kazaa. El cliente de Kazaa se pone en contacto con el supernodo más cercano. El supernodo busca en su base de datos y encuentra el artista y el título de la canción que está buscando. También contacta con otros supernodos y les pregunta por el artista y la canción. A continuación, el supernodo compila una lista de todas las copias del artista y la canción y le muestra en qué ordenador puede encontrar cada una.

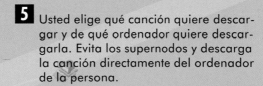

5 Usted elige qué canción quiere descargar y de qué ordenador quiere descargarla. Evita los supernodos y descarga la canción directamente del ordenador de la persona.

Cómo funciona BitTorrent

1 BitTorrent se ha convertido en la forma más utilizada de descargar películas y CD, y funciona ligeramente diferente a otro software para compartir archivos. Descarga fragmentos del archivo solicitado de múltiples ordenadores, y después los reúne en un solo archivo, una vez que ha recibido todas las partes. Para utilizar BitTorrent, primero necesita descargar e instalar un software de cliente. Los clientes de BitTorrent son gratuitos, y están disponibles en muchos lugares de Internet, entre los que se incluye www.bittorrent.com.

2 Si desea descargar un CD, una película o contenido similar, tiene que visitar un sitio especializado en descargas BitTorrent. A continuación, haga clic en el vínculo de lo que quiera descargar.

bit torrent info:
tracker servers: 293

bit torrent file #:
8765-92874-1934-19378

available seeds:
324123.084324
084237.039374

3 El sitio descarga un pequeño archivo torrent a su ordenador. Este archivo es, esencialmente, un archivo "indicador" que contiene información e instrucciones sobre dónde y cómo se puede descargar el CD o la película. Entre esta información está la dirección de un servidor rastreador, además del nombre del archivo, el tamaño y la suma de control de cada uno de los bloques del archivo de música o vídeo que se va a descargar, lo que le garantiza que está descargando la música o el vídeo verdaderos.

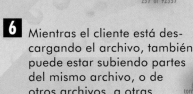
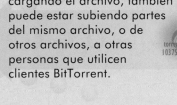

6 Mientras el cliente está descargando el archivo, también puede estar subiendo partes del mismo archivo, o de otros archivos, a otras personas que utilicen clientes BitTorrent.

5 El cliente descarga distintas partes del archivo de diferentes ordenadores de un *swarm* de forma simultánea. El hecho de descargar desde muchos ordenadores simultáneamente significa que se acelera el proceso de descarga. Cuando todas las piezas del archivo están completas, se reúnen para obtener el todo el archivo, que puede utilizarse como cualquier otro archivo.

4 El cliente BitTorrent se comunica con el servidor rastreador identificado en el archivo torrent. Este servidor envía información a todos los ordenadores que tienen el archivo completo que desea descargar o partes del archivo que se quiere descargar. Cada uno de esos ordenadores se denomina ordenadores *seed* (semilla). El grupo completo de estos ordenadores con todo o parte del archivo que va a descargarse se denomina *swarm* (enjambre).

Nota: Las velocidades de descarga en BitTorrent dependen de cuánto haya utilizado ese cliente para subir archivos a otros ordenadores. Así, un ordenador que deje BitTorrent abierto con frecuencia, y haya subido archivos a muchos otros ordenadores, contará con privilegios para descargar más rápidamente que un ordenador que sólo suba archivos a otros ordenadores de forma ocasional.

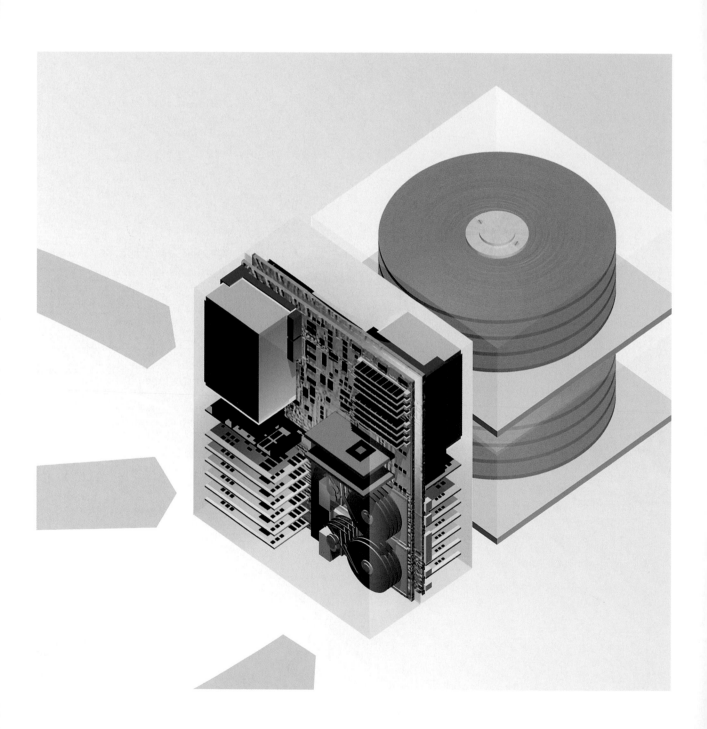

7

Compras y negocios en Internet

INTERNET tiene sus raíces en el mundo militar y académico, pero, en la actualidad, está íntimamente ligada a la forma en la que vivimos y trabajamos, y cada vez lo estará más con el transcurso de los años. En el trabajo, en nuestro tiempo libre, para conseguir información, y para comprar; Internet se ha convertido en una parte fundamental de nuestras vidas cotidianas.

El crecimiento drástico de Internet está propulsado en gran parte por los negocios y los consumidores. Se ha convertido en uno de los lugares fundamentales en el que funcionan los negocios, donde miles de millones de dólares en productos y servicios se compran y venden cada día.

Miles de empresas utilizan Internet para darse a conocer y vender sus productos, y mucha gente compra cosas desde casa o desde sus lugares de trabajo a través de Internet en lugar de ir a una tienda. Puede utilizar Internet para navegar por catálogos y hacer compras online, para comprar y vender acciones, hipotecas y seguros, e incluso para participar en subastas online.

Las empresas buscan formas, no sólo, de vender online, sino también de llevar esas transacciones online a sus ordenadores internos y sistemas de facturación.

En esta parte del libro veremos distintas formas en la que se utiliza Internet para hacer negocios y compras online.

El capítulo 26 trata de lo que se ha convertido en una de las partes más populares de Internet, las compras online. Hoy en día, las compras por Internet significan miles de millones al año en ingresos, y cada año se invierten muchos más. De hecho, no puede encender su televisión ni abrir un periódico o una revista sin tener que enfrentarse a la publicidad de distintos sitios online. Aunque muchos de los sitios de compras originales ya no están en el mercado, han sido sustituidos por los mismos negocios que esperaban reemplazar, minoristas existentes. Así, hoy en día puede encontrar tiendas como Gap y Wal-Mart con grandes sitios online.

Este capítulo le muestra qué es lo que ocurre entre bastidores cuando hace compras online. Nos centraremos en una de las formas más importantes para comprar online, hacerlo en subastas en la red. Todos los días, millones de personas compran y venden millones de artículos a través de sitios de subastas, en especial, utilizando el famoso sitio eBay. En este capítulo veremos cómo la tecnología hace posible que eBay funcione.

26

Compras en Internet

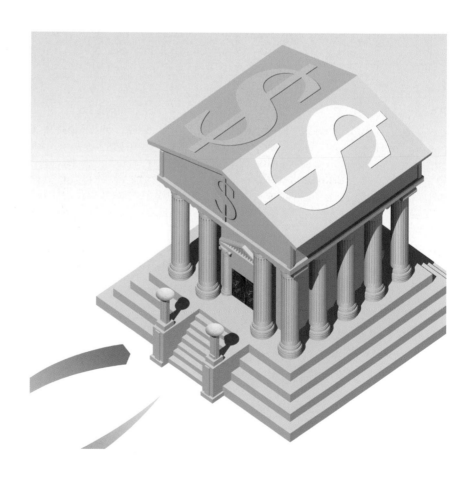

TODOS los años se gastan miles de millones de dólares en compras en Internet, y si creemos lo que afirman los comités asesores y las empresas de investigación de mercado, esto sólo es el principio. Internet acabará por revolucionar el mundo de las compras como lo hizo con el mundo laboral, la forma de conseguir información y las comunicaciones.

Las compras online son posibles a través de la utilización de técnicas de cifrado, la capacidad de codificar información cuando se envía por Internet para que nadie pueda leerla, a excepción de la persona a la que va dirigida. El cifrado se utiliza para codificar la información de las tarjetas de crédito, el principal medio de pago cuando compramos online.

La mayor parte de lo que ve cuando visita un sitio de compras en Internet se encuentra en bases de datos localizadas en servidores Web. Estas bases de datos tienen información sobre los productos que están en venta en el sitio, y también se utilizan para generar automáticamente páginas HTML que constituyen el sitio Web. Así, por ejemplo, cuando hay un nuevo producto disponible, la información sobre ese producto se introduce en una base de datos, y, a continuación, los scripts CGI y un servidor Web trabajan con la base de datos para crear un nuevo elemento que describa el producto en la página Web. Usted, a su vez, puede ver ese producto y decidir si quiere comprarlo.

Las bases de datos y las cookies se utilizan también cuando utiliza carros de la compra virtuales, áreas de un sitio Web en las que coloca los artículos que está pensando comprar. Antes de proceder a la compra, puede sacar artículos del carro o meter nuevos productos en él.

Las cookies siguen la pista de todo lo que incluye y quita del carro y, a continuación, las bases de datos trabajan con las cookies, los scripts CGI y los servidores Web para completar la transacción cuando quiera comprar algo.

Las bases de datos de la Web se utilizan asimismo para completar la transacción de compra cuando desea adquirir algo. Si decide comprar algo de un sitio, rellena un formulario, envía la información de su tarjeta de crédito y esa información se envía a la base de datos Web. La base de datos comprueba la validez de su tarjeta de crédito. Si es válida, la base de datos le envía una confirmación y, a continuación, manda un pedido a un almacén u otro método de distribución que le envía el producto. Las bases de datos no pueden hacer todo esto por sí mismas, funcionan de forma conjunta con scripts CGI, servidores Web y cookies.

En este capítulo veremos cómo funcionan las compras online y analizaremos el funcionamiento de una de las formas más populares de sitios de compras, las subastas online.

Cómo funcionan las compras online

1 La mayoría de los sitios de compras están construidos sobre bases de datos, por lo que, cuando el cliente visita un sitio Web y lo explora o busca un producto, realmente están realizando una búsqueda a través de una base de datos a la que se accede desde la Web.

Listado de productos

Servidor de base de datos

Vídeos
Cámaras digitales
Cámaras de vídeo
Reproductores
de CD
Impresoras
Monitores

Está entrando
en un área
segura

2 Cuando los clientes ven un producto que desean comprar, normalmente pagan con tarjeta de crédito. Antes de rellenar un formulario con los detalles de su tarjeta, normalmente se les envía a un área segura del sitio Web en la que se utilizará cifrado para codificar esos datos.

Tarjeta
crédito
codifica

123-456-789-012

6 El sitio confirma el pedido, utilizando scripts CGI, la página Web se actualiza y muestra una página que el cliente puede imprimir para confirmar el pedido. Muchos sitios siguen el proceso enviando un mensaje de correo electrónico al cliente.

Gracias por su compra

3 Una vez que los clientes están en el área segura, rellenan un formulario que incluye la petición de la información de sus tarjetas de crédito. Mientras rellenan los formularios, la información se queda en sus ordenadores, y todavía no se envía a través de Internet.

5 El servidor de transacción recibe la información cifrada y la descodifica. A continuación, hace una comprobación con la compañía de la tarjeta de crédito para asegurarse de que la tarjeta es válida y puede utilizarse, de forma similar a cómo las tiendas comprueban si su tarjeta es activa, excepto en que aquí se hace a través de Internet.

Servidor de transacciones

4 Cuando se termina de rellenar el formulario, el cliente hace clic en un botón **Enviar** o similar, para enviar la información desde el ordenador del cliente al servidor de transacción segura del sitio. Al enviarse por Internet, la información se codifica, de forma que sea prácticamente imposible de leer, excepto por el propio sitio Web.

¿Podemos aceptar?

Sí, todo correcto

7 El servidor de la transacción envía el pedido a un almacén o a otra área designada al efecto que completa el pedido y se termina como cualquier otro pedido, mandándolo por correo o por mensajero al cliente.

Preparados para enviar el pedido

Cómo eBay lo vende todo

DENVER, CO

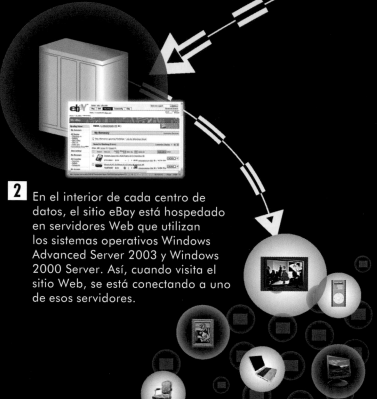

SACRAMENTO, CA   SANTA CLARA 1, CA   SANTA CLARA 2, CA

1 Cuando entra en el sitio de eBay, se le redirecciona automáticamente a uno de los cuatro centros de datos de eBay. eBay funciona con cuatro centros de datos para garantizar que el sitio estará siempre activo y en operación; si uno de los centros se cae, habrá otros tres disponibles. Hay dos centros de datos ubicados en Santa Clara, California, uno en Sacramento, California y un cuarto en Denver, Colorado. Los centros de datos son espejos o réplicas entre sí, así que, independientemente del centro de datos al que se conecte, obtiene la misma información, subastas y funciones. Los centros están conectados entre sí a través de una red óptica síncrona de alta velocidad (SONET).

2 En el interior de cada centro de datos, el sitio eBay está hospedado en servidores Web que utilizan los sistemas operativos Windows Advanced Server 2003 y Windows 2000 Server. Así, cuando visita el sitio Web, se está conectando a uno de esos servidores.

5 La base de datos envía los resultados de la búsqueda de vuelta a los servidores de búsqueda que, a su vez, envía los resultados a los servidores Web. Estos servidores proceden entonces a enviarle a usted los resultados.

8 Cuando las transacciones se completan, se les impone al comprador y al vendedor la importantísima tarea de evaluar la experiencia. Estas encuestas son fundamentales para eBay porque le ayudan a garantizar a sus usuarios que no están tratando con estafadores o aprovechados.

PANTALLAS DE PLASMA

3 Cuando escribe un término para realizar una búsqueda de una subasta, su búsqueda se envía a servidores de búsqueda independientes que ejecutan una aplicación de búsqueda que utiliza J2EE (Java), sobre el hardware Sun Microsystems.

4 Los servidores de búsqueda envían la petición de búsqueda a un grupo de 50 servidores de bases de datos que se ejecutan en una base de datos Oracle en un ordenador Sun SPARC. Este tipo de base de datos es, esencialmente, lo que eBay es en realidad, contiene todos los detalles de todas las subastas que se llevan a cabo en eBay.

6 Usted procede a examinar los resultados. Cuando encuentra una subasta que le interesa, hace una oferta. El servidor Web envía la oferta a un servidor de la aplicación que, a su vez, envía la oferta a los servidores de bases de datos que incorporan la oferta a la base de datos. La oferta está ahora activa y cualquiera que visite la página de la subasta podrá verla.

7 Un marcador en la base de datos señala cuándo termina la subasta. En este momento, la base de datos envía toda la información de la oferta ganadora al servidor de la aplicación. El servidor de la aplicación envía la información al servidor Web para que pueda publicarla y genera automáticamente correos que se envían a través de servidores de correo electrónico al ofertante ganador y al vendedor.

8

Protegerse en Internet

LA propia naturaleza de Internet hace que sea vulnerable a los ataques. Fue diseñada para permitir la forma más libre posible de intercambiar información, datos y archivos, y ha tenido un éxito admirable, superando con mucho las expectativas más positivas de sus diseñadores. Sin embargo, la libertad tiene un precio: los piratas y los autores de virus intentan atacar a Internet y a ordenadores conectados a Internet; aquellos que quieren invadir la privacidad de los demás intentan acceder a bases de datos de información confidencial o fisgonear información cuando viaja por Internet; además, han surgido sitios desagradables y pornográficos en Internet y en grupos de noticias Usenet.

En esta sección del libro trataremos varios temas relacionados con la seguridad. Se han desarrollado diversas herramientas para hacer que las transacciones en la red sean más seguras y para ayudar a las empresas a proteger sus datos confidenciales. Aprenderá algunas de las tecnologías más polémicas de Internet, las cookies, que permiten que los servidores Web sigan sus movimientos a través de sus sitios.

En el capítulo 27, "Cómo funcionan los firewalls", hablaremos de los firewalls. Muchas empresas cuyas redes están conectadas a Internet contienen una gran cantidad de información confidencial y quieren garantizar que sus datos y sus ordenadores estén libres de ataques. La respuesta es la utilización de firewalls, software que la gente puede utilizar en casa para garantizar que los piratas informáticos no puedan invadir sus ordenadores.

El capítulo 28, "Cómo pueden los piratas paralizar Internet y atacar su PC" examina los ataques emitidos por los piratas informáticos que pueden inutilizar los ISP y atacar su ordenador. En un ataque DOS (denegaciones de servicio), también llamados ataques *smurf*, un pirata se pone como objetivo un ISP y lo inunda con tanto tráfico "basura" que ninguno de los clientes de ese proveedor puede utilizar el servicio. Éste es uno de los tipos más comunes de ataques informáticos en Internet. Veremos algunas formas en las que los piratas pueden atacar su PC.

El capítulo 29, "Cómo pueden invadir su privacidad los sitios de Internet", profundiza en los nuevos peligros que golpean Internet. Millones de personas se conectan a Internet de forma inalámbrica todos los días, utilizando redes inalámbricas domésticas, redes inalámbricas en el trabajo, *hot spots* públicos en cafés y ubicaciones similares y a través de teléfonos móviles. Cada vez que se conectan, se ven expuestos al peligro y en este capítulo se lo mostramos. Además, hablaremos del *spyware* y de cómo podemos protegernos de él.

27

Cómo funcionan los firewalls

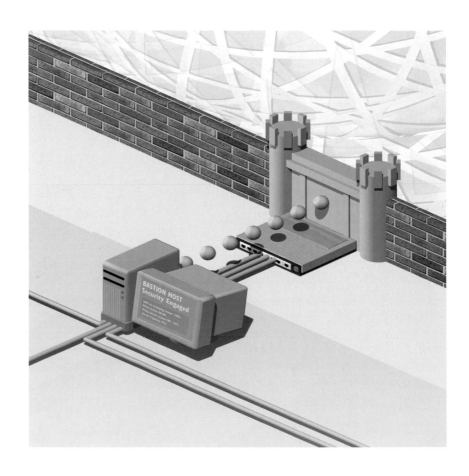

SIEMPRE que un ordenador está conectado a Internet, se enfrenta a un peligro potencial. Las redes corporativas de área local (LAN) conectadas a Internet y los ordenadores que lo hacen desde casa, en especial, los que se conectan a través de un cable módem de alta velocidad o de un módem DSL, pueden convertirse en el objetivo de los piratas.

Debido a la transparencia de Internet, todas las redes corporativas conectadas a ella son vulnerables a los ataques. Las personas que violan la seguridad de los sistemas informáticos pueden acceder a la red corporativa y hacer daño de diferentes formas: podrían robar o poner en peligro datos importantes, estropear ordenadores individuales o toda la red, utilizar los recursos del ordenador corporativo o utilizar la red y los recursos de la empresa para hacerse pasar por un empleado de la misma. La solución no es desconectar la red de Internet. La empresa debería utilizar firewalls (también llamados cortafuegos) para proteger la red. Estos firewalls permiten que cualquiera que pertenezca a la red corporativa pueda conectarse a Internet, pero impide que los piratas informáticos y todas las personas que no pertenezcan a esa red accedan a la red corporativa y la pongan en peligro.

Los firewalls corporativos son combinaciones de hardware y software que se crean utilizando routers, servers y otros tipos de software. Se colocan en el punto más vulnerable entre una red corporativa e Internet y pueden ser tan simples o tan complejos como los administradores del sistema quieran.

Uno de los tipos más sencillos de firewalls utiliza el filtro de paquetes. En este filtro, un router de comprobación examina el encabezado de todos los paquetes de datos que viajan entre Internet y la red corporativa. Los encabezados de los paquetes contienen información como la dirección IP del emisor y el receptor, el protocolo que se utiliza para enviar el paquete y otra información similar. Basándose en esa información, el router sabe qué tipo de servicio de Internet, como FTP o rlogin, se está utilizando para enviar los datos, así como la identidad del emisor y del receptor de los datos. (El comando rlogin es similar a Telnet, que permite que alguien acceda a su ordenador. Puede ser peligroso porque permite que los usuarios entren escribiendo una contraseña.) Una vez determinada esta información, el router puede hacer que algunos paquetes no se envíen entre Internet y la red corporativa. Por ejemplo, el router podría bloquear cualquier tráfico excepto el email. Además, podría bloquear el tráfico dirigido a o procedente de destinos sospechosos o determinados usuarios.

Normalmente se utilizan servidores proxy en los firewalls. Un servidor proxy es un software que se ejecuta en un servidor en un firewall, como un servidor bastión (*bastion host*). Como sólo el servidor proxy interactúa con Internet (en lugar de los muchos ordenadores individuales de la red), se puede mantener la seguridad. Ese servidor único puede mantenerse más seguro de lo que puede hacerse con los distintos ordenadores individuales que componen una red.

Los ordenadores domésticos conectados a Internet a través de cable módems de alta velocidad o de módems DSL son también objetivos de intrusos, puesto que si los piratas informáticos pueden entrar en ellos, pueden utilizarlos como plataformas de lanzamiento para sus ataques, además de seguir la pista de todo lo que hacen. Los firewalls personales se han hecho muy famosos, software y hardware instalado en su ordenador doméstico que lo protege de forma similar a cómo los firewalls corporativos protegen las LAN empresariales.

Cómo funcionan los firewalls personales

1 Las personas que utilizan conexiones de alta velocidad como cable módems en casa, pueden ser proclives a los ataques de los piratas informáticos, porque los ordenadores conectados a Internet de esta forma resultan más vulnerables y más atractivos para los piratas. Para proteger los ordenadores domésticos, mucha gente ha optado por los firewalls personales, un software que se ejecuta en su ordenador y lo protege de los ataques procedentes de Internet. Para comprender cómo funcionan los firewalls personales, primero necesita comprender el concepto de puertos de Internet. Un puerto de Internet no es un dispositivo físico, es más bien una forma de entrada virtual entre su ordenador e Internet. Cuando lleva a cabo una conexión a Internet, muchas de esas conexiones virtuales se abren, y cada una de ella contiene su propio número y finalidad. Por ejemplo, el software de correo electrónico utiliza normalmente el puerto 110 en el servidor de email para obtener los mensajes, y usa el puerto 25 en el servidor para enviarlo. El software FTP normalmente se conecta a los servidores FTP utilizando el puerto 21.

137.42.1.1

PUERTO 31338   PUERTO 142   PUE

Firewall personal

2 Los firewalls personales funcionan examinando los paquetes de datos que recibe su ordenador. Estos paquetes de datos contienen una gran cantidad de información, como la dirección IP del ordenador emisor, el puerto por el que se transmitirá el paquete y otros tipos de información. Los firewalls pueden filtrar los paquetes que se envían a ciertos puertos. Por ejemplo, un firewall puede bloquear todos los paquetes que se transmiten al puerto 21 de forma que el programa FTP no puede utilizarse para atacar su PC. Los firewalls pueden bloquear todos los puertos de su PC, o los puede bloquear de forma selectiva, por ejemplo, bloqueando exclusivamente los puertos utilizados comúnmente en ataques de piratas informáticos, como el puerto 31338, que es uno de los puertos utilizado con frecuencia por el infame troyano Back Orifice.

Troyano Back Orifice

146.45.78.122

3 Uno de los métodos que los piratas utilizan para atacar su ordenador es implantándole un troyano. El troyano puede entonces conectarse a un pirata por sí mismo, lo que le daría a éste un control completo sobre su ordenador. Los firewalls personales pueden informarle de cuándo su PC está intentando conectarse a Internet, y sólo permitirá que programas que usted sabe que son seguros accedan a Internet, por ejemplo, su software de correo electrónico.

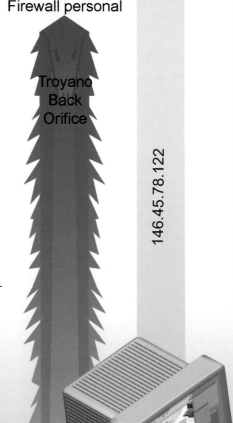

125.11.21.0

112.98.12.34

4 Los firewalls pueden bloquear asimismo la conexión a su ordenador de direcciones IP específicas. Por ejemplo, si conoce la IP de un pirata informático que le ha atacado antes, puede hacer que el firewall la bloquee y no le permita entrar en su ordenador.

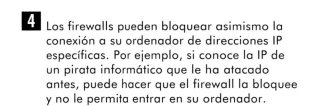

IPs Prohibidas
123.54.12.0
137.28.122.8
7 7.07.19 1
3 2.75.125.
24 6.07.89
44.32 189
27.123 1

Firewall personal

PUERTO 32

PUERTO 1338

PUERTO 21

NAT
(Traducción de
direcciones de
red)

6 Muchos firewalls personales tienen un registro de todos los intentos que se han llevado a cabo de atacar o rastrear su ordenador. Estos registros pueden enviarse a su ISP, que puede utilizarlos para intentar seguir la pista de los piratas informáticos y desconectarlos.

131.244.34.12

102.147.12.32

LOG

5 Muchos routers de red domésticos incluyen un firewall personal basado en el hardware que le protege de Internet utilizando una técnica denominada NAT (traducción de direcciones de red). Con NAT, su verdadera dirección IP está protegida de Internet, no puede ser vista por nadie ni por ninguna aplicación que se encuentre fuera de su red doméstica. En esencia, hace que sea invisible, por lo que los piratas informáticos no pueden acceder a ella.

ISP

Cómo funcionan los servidores Proxy

1 Los administradores del sistema pueden configurar servidores proxy que pueden utilizarse para muchos servicios como FTP, la Web y Telnet. Los administradores de sistema deciden qué servicios de Internet deben pasar por un servidor proxy. Se necesita software de servidor proxy específico para cada tipo de servicio de Internet.

Petición de página

Página Web

Petición de página

Página Web

Servidor proxy Web

Servidor de Internet

2 Cuando un ordenador de una red corporativa lleva a cabo una petición a Internet, como acceder a una página Web de un servidor Web, considera ese ordenador como si fuera a conectarse directamente al servidor Web en Internet. Sin embargo, de hecho, el ordenador interno contacta el servidor proxy con su petición, que, a su vez, contacta con el servidor de Internet. El servidor de Internet envía la página Web al servidor proxy que, a continuación, envía la página al ordenador corporativo.

3 Los servidores proxy pueden utilizarse como una forma de registrar el tráfico de Internet entre la red corporativa interna e Internet. Por ejemplo, un servidor proxy Telnet podría registrar todas las pulsaciones en todas las sesiones Telnet, y también podría seguir la pista a cómo el servidor externo en Internet reacciona a esas pulsaciones. Los servidores proxy pueden registrar todas las direcciones IP, la fecha y la hora de acceso, los URL, el número de bytes descargados, etc. Esta información puede utilizarse para analizar cualquier ataque que se haya lanzado contra la red.

Registro de
pulsaciones

Salida

Keystroke
Log

Registro de
pulsaciones

Salida

Audit.log

4 Los servidores proxy pueden hacer más que simplemente transmitir peticiones en ambas direcciones entre un ordenador que se encuentra en una red y un servidor en Internet. También pueden implementar esquemas de seguridad. Por ejemplo, un servidor proxy FTP podría permitir que los archivos se envíen desde Internet a un ordenador en una red corporativa, pero no permitir que se envíen archivos desde la red corporativa a Internet o viceversa.

Servidor FTP

Servidor proxy
FTP

Obtener INFO.DAT

Obtener INFO.DAT

INFO.DAT

INFO.DAT

Red externa

Obtener archivo XYZ.ZIP

Petición denegada

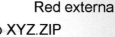

5 Además, los servidores proxy pueden utilizarse para acelerar el rendimiento de algunos servicios de Internet almacenando datos en la caché (guardar copias de los datos solicitados). Por ejemplo, un servidor proxy Web podría almacenar en la caché muchas páginas Web. Después, siempre que alguien de la red corporativa interna quisiera acceder a esas páginas Web, esa persona podría tener acceso a ellas directamente desde el servidor a alta velocidad, en lugar de tener que acceder a Internet y conseguir la página a una velocidad más baja.

Servidor proxy
Web

Petición de
página

Página
en caché

Páginas Web
almacenadas en caché

Servidor
Web

Página Web

CAPÍTULO

28

Cómo pueden los piratas paralizar Internet y atacar su PC

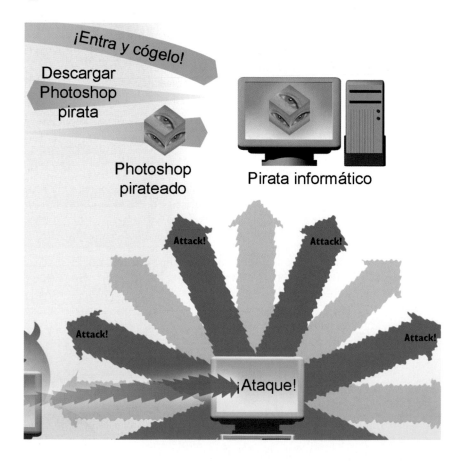

LOS piratas informáticos atacan a individuos y a sitios Web utilizando distinto software y diversos programas malintencionados. Entre los muchos objetivos de estos piratas se encuentran los proveedores de servicios de Internet (IPS), empresas que venden acceso a Internet. Un pirata puede tener como objetivo un IPS por distintas razones: puede estar enfadado con el ISP o con alguien que lo utiliza, o simplemente desea atacar el ISP por mera diversión. Los piratas informáticos también atacan con frecuencia grandes sitios Web.

Uno de los ataques más comunes contra un ISP o sitios Web es la denegación de servicio (DOS) o la denegación distribuida de servicio (DDOS) en las que un pirata inhabilita una red inundándola con tráfico externo. Existen varias formas en las que un pirata puede lanzar un ataque DOS o DDOS. Uno de los métodos más populares es lo que se denomina *smurfing*. En este tipo de ataque, un pirata informático llena el ISP con tantos paquetes basura que utiliza todo el ancho de banda disponible del ISP. Los clientes del ISP no pueden enviar o recibir datos, ni pueden utilizar el correo electrónico, navegar por la Web ni usar ningún otro tipo de servicio de Internet.

En estos ataques, los piratas informáticos explotan un servicio de Internet que se utiliza de forma muy común, PING (*Pocket Internet Groper*). Normalmente este comando se utiliza para ver si un determinado ordenador o servidor está conectado a Internet y funcionando. Cuando un ordenador o servidor recibe un paquete *ping*, devuelve un paquete a la persona que envió dicho comando, que, en esencia, dice "Sí, estoy vivo y conectado a Internet". En un ataque *smurfing*, los piratas falsifican las direcciones de respuesta de las peticiones *ping* de forma que, en lugar de volver a ellos, los paquetes se dirigen al ISP que es su objetivo. Los piratas informáticos pueden utilizar redes conectadas a Internet como forma de transmitir sus peticiones *ping* y ampliar cada petición *ping* muchas veces. De esta forma, un pirata puede utilizar redes conectadas a Internet para inundar al ISP con tantos paquetes de respuesta *ping* que los clientes ISP no puedan utilizar los servicios de dicho proveedor de Internet. Las piratas pueden utilizar múltiples redes conectadas a Internet en un solo ataque. En muy difícil protegerse de estos ataques porque los paquetes de respuesta *ping* proceden de redes legítimas, y no del propio pirata.

Por supuesto, los ISP no son el único objetivo de los piratas informáticos. También los individuos sufren sus ataques. Como verá en este capítulo, los piratas pueden tomar el control de los ordenadores de la gente y borrar o robar archivos, hacerse con información personal y contraseñas e incluso utilizar el ordenador de una determinada persona como plataforma de lanzamiento de ataques a ISP y sitios Web.

Cómo pueden los piratas informáticos atacar su ordenador

1 Los piratas informáticos no sólo atacan a grandes sitios Web y corporaciones, sino también a ordenadores individuales en domicilios o en empresas. Los piratas pueden dañar y utilizar su ordenador de muchas formas diferentes. Para dar comienzo a sus malévolas hazañas, los piratas informáticos necesitan tener acceso a su ordenador. Una de las formas más comunes de hacerlo es a través de un programa denominado SubSeven. Antes de que puedan utilizar este programa, tienen que introducirlo en su ordenador. Usted puede involuntariamente instalar una copia de SubSeven en su ordenador de muchas formas diferentes, por ejemplo, puede abrir un archivo en un mensaje de correo electrónico y puede instalarse en su ordenador sin que usted se dé cuenta, o puede que le envíen el programa cuando utilice el protocolo de chat IRC de Internet.

Virus
Virus
¿27374 abierto?

¡Sí, adelante!

2 Los piratas informáticos tienen herramientas automatizadas que escanean miles de ordenadores diferentes para ver cuáles tienen instalados SubSeven. Estas herramientas envían *port probe* (paquetes que examinan puertos virtuales específicos que todos los ordenadores tienen cuando están conectados a Internet). SubSeven utiliza el puerto 27374, entre otros puertos, y, si está ejecutándose en un ordenador, abrirá dicho puerto. Uno de estos *port probes* alerta al pirata de que el puerto 27374 está abierto, por lo que sabe que puede tomar el control de su PC.

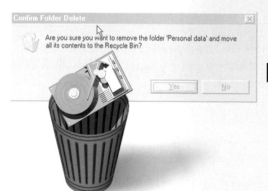

3 El pirata informático puede hacer muchas cosas cuando toma el control de su ordenador; esencialmente, es como si estuviera sentado delante de su teclado controlándolo todo, sin que usted lo sepa. Por ejemplo, puede copiar o eliminar todos los archivos, datos y software de su ordenador.

4 Puede descubrir información personal sobre usted examinando sus archivos. Por ejemplo, puede conseguir el acceso a su número de tarjetas de crédito y su número de la seguridad social, y utilizar después esa información de forma ilegal.

American Express,
101-11-33
15.000 euros, por favor

Pirata informático

Su llave　　Llave robada

Pirata informático

5 Puede tener acceso a todas sus contraseñas, que podrían proporcionarle la posibilidad de hacerse pasar por usted en los sitios Web y acceder a datos de su ordenador que usted ha intentado proteger mediante la utilización de esas contraseñas.

6 Puede cargar o descargar cualquier archivo a o desde su ordenador. Por ejemplo, podría utilizar si ordenador para almacenar copias ilegales de software, o incluso podría hacer que otros piratas pudieran entonces descargar esas copias ilegales.

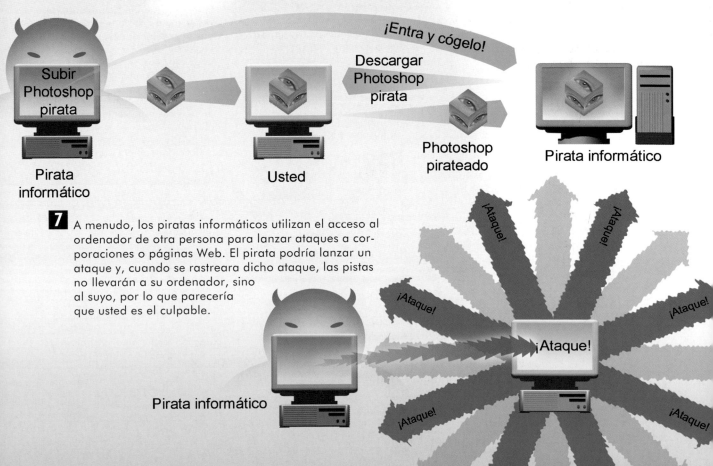

¡Entra y cógelo!

Subir Photoshop pirata

Descargar Photoshop pirata

Pirata informático

Usted

Photoshop pirateado

Pirata informático

7 A menudo, los piratas informáticos utilizan el acceso al ordenador de otra persona para lanzar ataques a corporaciones o páginas Web. El pirata podría lanzar un ataque y, cuando se rastreara dicho ataque, las pistas no llevarán a su ordenador, sino al suyo, por lo que parecería que usted es el culpable.

Pirata informático

¡Ataque!

Cómo viajan los virus de correo electrónico en su email

1 Una víctima que no sospecha nada recibe un correo electrónico que parece haber sido enviado por alguien que la víctima conoce, y el asunto del mensaje está redactado para que a la presa le resulte atractivo y lo abra, como "¡¡¡Fotos de la fiesta salvaje!!!".

2 Oculto dentro del email se encuentra uno de estos tres tipos de virus:

Virus adjunto es un programa que se incluye como archivo adjunto a un mensaje de correo electrónico. Finge ser una fotografía o una película que la víctima puede visualizar en su ordenador. El nombre del archivo adjunto está disfrazado para ocultar su verdadera naturaleza. Por ejemplo, el archivo adjunto podría ser `vacaciones.jpg.vbs`. Muchos usuarios observan el jpg y asumen que se trata de una fotografía de las vacaciones, sin darse cuenta de la extensión `vbs`, que identifica el archivo adjunto como un script de Visual Basic, un tipo de programa. Éste es el tipo más común de virus. Ejemplos: Melissa, LoveLetter y AnnaKournikova.

Virus HTML es un código de contenido activo, esencialmente un pequeño programa escrito en los lenguajes de software JavaScript o ActiveX. El contenido activo se usa en la Web siempre que compra algo, rellena formularios, vota en una encuesta o participa en cualquier otra página interactiva de la Web. El virus HTML no se muestra cuando abre un mensaje formateado en HTML. Ejemplos: el gusano Kak, BubbleBoy y HapTime.

Virus MIME (Extensiones multipropósito de correo por Internet) se aprovecha de un punto débil en la seguridad de Outlook Express e Internet Explorer. El autor rellena el encabezado del email con más información de la que el encabezado puede contener en su buffer de memoria reservado para entradas de formulario. Cuando el buffer se queda sin espacio para albergar la entrada, el desbordamiento (el virus) se extiende por la memoria de pila que está siendo usada por el microprocesador para ejecutar programas, y se ejecuta el virus en lugar del código legítimo. Ejemplo: Nimba.

3 El detonante del ataque del virus depende del tipo de virus que sea.

El **virus adjunto** sólo se ejecuta cuando la víctima hace doble clic en el nombre del archivo adjunto.

El **virus HTML** entra en acción cuando la víctima abre el mensaje para leerlo. El simple hecho de mostrar el mensaje en la ventana de previsualización activa el virus.

El **virus MIME** puede ejecutarse incluso sin ser visto. Parte del código oculto en el encabezado le dice a Outlook Express que el mensaje es un archivo con extensión `.wav`, un archivo de audio de Windows. Outlook Express ejecuta automáticamente el virus sin que la víctima pueda hacer nada.

4 Los virus ocultos en el correo electrónico hacen distintos tipos de daños, pero lo primero que hace cualquiera de ellos es propagarse. Busca la libreta de direcciones de la víctima, sus correos antiguos e incluso documentos creados en Word o Excel. Los utiliza para extraer nombres y direcciones de correo electrónico.

5 El virus utiliza las direcciones para enviar duplicados de sí mismo a los amigos y compañeros de trabajo de la víctima, oculto en el mismo correo que accedió al ordenador. Para hacer que sea más difícil de localizar, el virus puede escoger un nombre al azar de la libreta de direcciones y lo pone en el campo **De:**. En cuestión de minutos, el virus se propaga a cientos de ordenadores distintos, en ocasiones acompañado de archivos adjuntos aleatorios, como cartas y hojas de cálculo que el virus encuentra entre los archivos de la víctima.

6 Finalmente, miles de copias del virus original entregan su carga, que puede ser cualquier cosa, desde mensajes jocosos a la total eliminación de los discos duros. Puede que se ejecuten justo después de que hayan terminado de reproducirse, después de algún tiempo o pueden activarse a la vez, el mismo día.

Virus peliagudos

El virus VBS.Hard.A@mm es un archivo adjunto que se incluye en un mensaje de correo electrónico que advierte de un gusano inexistente denominado VBS.AmericanHistoryX_II@mm. El asunto del mensaje es "*FW: Symantec Anti-Virus Warning*"; el mensaje promete ofrecer más información en el memorándum adjunto.

Cuando el archivo adjunto, `www.symantec.com.vbs`, se abre, hace que la página de inicio de Internet Explorer se convierta en un sitio Web falso que advierte sobre un gusano ficticio. También hace que Outlook envíe copias del virus falso a todas las personas incluidas en la libreta de direcciones.

Todos los 24 de noviembre, los ordenadores infectados muestran el mismo mensaje, mofándose del usuario.

CAPÍTULO

29

Cómo pueden invadir su privacidad los sitios de Internet

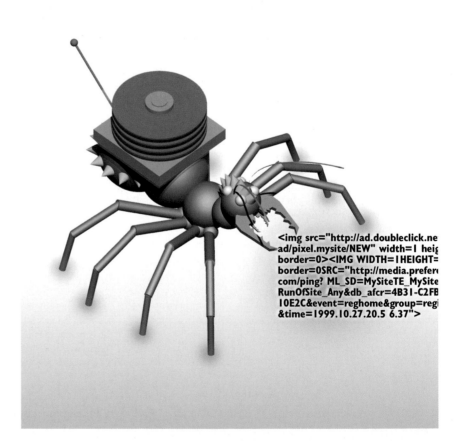

```
<img src="http://ad.doubleclick.ne
ad/pixel.mysite/NEW" width=1 heig
border=0><IMG WIDTH=1 HEIGHT=
border=0SRC="http://media.prefer
com/ping? ML_SD=MySiteTE_MySite
RunOfSite_Any&db_afcr=4B31-C2FB
10E2C&event=reghome&group=regi
&time=1999.10.27.20.5 6.37">
```

LOS temas relacionados con la privacidad son una gran preocupación en la red. Se puede recoger mucha información sobre las personas cuando utilizan la red, y no siempre está claro quién usará esa información, o cómo será utilizada. Existen varias tecnologías que preocupan a la gente, en particular las cookies y el seguimiento Web. Las dos tienen propósitos muy útiles, pero a muchas personas les preocupa que haya en ellos un determinado aspecto "gran hermano".

Las cookies son bits de datos que se colocan en el disco duro cuando alguien visita ciertos sitios Web. La utilización más común de estos datos es facilitar que la gente utilice sitios Web que requieran un nombre de usuario y una contraseña. La cookie del disco duro tiene incluida un nombre de usuario y una contraseña, así que la persona en cuestión no tiene que registrarse en todas las páginas que requieren esa información. La cookie envía la información al servidor, y la persona puede visitar la página con total libertad.

Las cookies pueden contener prácticamente todo tipo de información, como la última vez que la persona visitó el sitio, los sitios favoritos de la persona e información personalizable similar. Pueden utilizarse para seguir la pista de las personas cuando entran en un sitio Web y ayudar a reunir estadísticas sobre los tipos de páginas Web que le gusta visitar a la gente. Aunque algunas personas las consideran una invasión de la privacidad, también pueden hacer de la Web un lugar mucho más cómodo de visitar, facilitando, por ejemplo, el comercio electrónico.

Aunque se pueden utilizar las cookies para seguir la pista de cómo utilizan las personas un sitio Web, se pueden usar muchos otros métodos. En uno de ellos, los registros del servidor Web son examinados en detalle. Esto haría posible, por ejemplo, identificar las páginas más populares del sitio, los sitios que la gente acaba de visitar, cuántas páginas leen los visitantes en una visita tipo e información similar. Otros métodos incluyen la utilización de rastreadores de software que examinan cada paquete entrante y saliente al sitio Web. Los webmasters pueden utilizar esta información para crear mejores sitios, aunque también pueden utilizarla para recopilar información demográfica que pueden vender después a los anunciantes. La segunda ilustración de este capítulo muestra la funcionalidad del software de seguimiento de una empresa llamada Accrue.

Otra preocupación sobre la privacidad es la planteada por el spyware, un software que examina sus actividades de navegación sin que usted lo sepa, informa sobre ellas y, a continuación, le hace llegar publicidad dirigida a usted, basándose en su actividad. El spyware se instala normalmente en su ordenador cuando instala un software gratuito, como por ejemplo el software para compartir archivos.

Cómo funcionan las cookies

1 Las cookies son partes de datos colocados en el disco duro de un ordenador por un servidor Web; pueden utilizarse con diversas finalidades. Pueden almacenar nombres de usuario y contraseñas, por ejemplo, de forma que la gente no tenga que registrarse continuamente en un sitio que requiera esta información; o pueden permitir que la gente llene carros de la compra electrónicos con los productos que quiere comprar. Las cookies también almacenan el nombre del sitio que colocó dicha cookie. Sólo ese sitio puede leer la información de la cookie, por lo que la información de un sitio no puede compartirse con información procedente de un sitio diferente. La información de la cookie se incluye en un archivo especial en el disco duro. La ubicación y los archivos varían según el tipo de ordenador y de navegador. En los PC que utilizan Netscape, por ejemplo, la información se encuentra en un archivo denominado `cookies.txt`. Ese archivo de texto contiene todas las cookies, y cada cookie es una línea de los datos que se encuentran en ese archivo.

Servidor Web

Script CGI

contraseña: pg
nombre de
usuario: who

www.buyshop.c

¿Cookie
Buyshop.com?

Cookie
Buyshop.com

buyshop.com   True   123702   132

3 Si no hay ninguna cookie asociada con el URL, el servidor coloca una cookie dentro del archivo de cookies. Algunos sitios podrían hacer primero una serie de preguntas, como el nombre y la contraseña, y entonces ubicar una cookie que contenga esa información en el disco duro. Esto es típico de los sitios en los que es necesario registrarse. Normalmente, un script CGI en el servidor coge la información que el usuario ha introducido y, a continuación, escribe la cookie en el disco duro.

2 Cuando visita un sitio, su navegador examina el URL que está visitando y su archivo de cookies. Si encuentra una cookie asociada a ese URL, envía la información de esa cookie al servidor. El servidor puede utilizar entonces la información de esa cookie.

4 A medida que navegue por un determinado sitio Web, podría ser necesario incluir más información en su cookie. En un sitio en el que puede comprar productos online, por ejemplo, podría poner esos productos en un carro de la compra electrónico. Cada vez que haga esto, nueva información podría añadirse a la cookie, detallando los productos que desea comprar. Cuando se incluye esta nueva información, un script CGI elimina la información de la antigua cookie e incluye la nueva cookie. Cuando sale de un sitio, su información contenida en las cookies permanece en su disco duro, de forma que el sitio pueda reconocerle la próxima vez que decida visitarlo, a menos que la cookie haya sido específicamente escrita para expirar cuando salga del sitio.

5 El servidor lleva a cabo acciones basándose en sus cookies, por ejemplo, mostrar su carro de la compra electrónico. Si el sitio le permite comprar online, podría haberle pedido el número de su tarjeta de crédito. Por razones de seguridad, el número no se almacena en su cookie. Esa información se almacena en un servidor seguro. Cuando decide comprar algo, entra en un área segura desde su explorador. Entonces su cookie envía una identificación al servidor que identifica su sesión de compra, y el servidor muestra en ese momento la información de su tarjeta de crédito, permitiéndole comprar online.

6 Una vez que ha formalizado el pedido de algún producto de su carro de la compra, o si ha decidido eliminar alguno de los productos de dicho carro, se coloca una nueva cookie en su disco duro; ésta incluye los productos que compró o decidió eliminar de su carro de la compra.

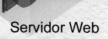

Servidor Web

7 Como a algunas personas no les gusta que se coloquen cookies en sus discos duros, los exploradores proporcionan la opción de aceptar o no aceptar las cookies, o de preguntar cada vez que se está incluyendo una cookie en su disco duro. En la ilustración puede ver el mensaje que aparece si quiere que se le informe cada vez que una cookie se coloca en su disco duro.

Cómo siguen los sitios Web la pista de sus actividades

Usuario

Cookie

1 Los sitios Web siguen la pista de sus actividades de distintas formas, aunque la más frecuente es utilizando un software especial que vigila lo que usted está haciendo. Con frecuencia, se coloca un rastreador (*sniffer*) en Internet que analiza el tráfico del sitio. El rastreador es un ordenador que ejecuta un software que examina todos los paquetes TCP/IP que entran y salen del sitio Web.

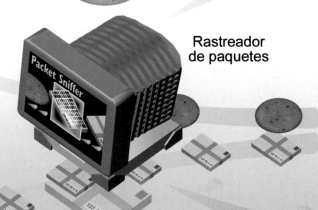

Rastreador
de paquetes

Servidor Web

Paquete IP

2 Para seguir la pista del tráfico en un sitio Web, el rastreador tiene que identificar primero quién está entrando en el sitio. El software puede hacerlo de diferentes maneras. Si el sitio utiliza cookies, el software utiliza la cookie para identificar a una determinada persona. También puede utilizar la información OPS (*Open Profiling Standard*) almacenada en el explorador Web de una persona. OPS permite que la gente determine el tipo de información que desean hacer pública. Si no hay información de cookies o de OPS, el software utiliza la dirección IP de la persona.

Usuario

niciar
escarga

3 El rastreador examina los paquetes a medida que entran y salen del sitio. Registra todas las acciones que se llevan a cabo, como cuando una persona solicita una determinada página Web, y cuándo se completan las acciones, como el momento en el que se entregan los últimos paquetes de una página. Sigue la pista de quién hace las peticiones, de dónde vienen, a dónde van e información similar. Esta información está incluida en los paquetes TCP/IP. El rastreador descarta todos los paquetes intermedios transmitidos durante cada acción, sólo necesita los paquetes iniciales y los finales. Descarta todos esos paquetes intermedios porque no proporcionan ninguna información de utilidad.

Datos de la cookie

4 La información se envía desde el rastreador a la base de datos, donde se almacena toda la información.

Base de datos

Datos IP

5 Se pueden crear muchos tipos de informes a partir de la base de datos, como la cantidad de tiempo que la gente pasa en el sitio por término medio, el número medio de páginas que leen por visita, las páginas más populares del sitio, los sitios que la gente acaba de visitar, los sitios que van a visitar, y otro tipo de información.

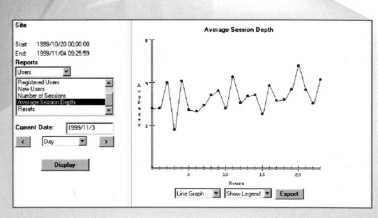

Análisis del tráfico del servidor

Cómo funciona el spyware

1 El spyware se coloca al fondo de su ordenador, vigila los sitios Web que visita, y, a continuación, informa de sus actividades. Basándose en estas actividades, le entrega anuncios personalizados para usted. Pero, primero, el spyware tiene que entrar en su ordenador. Con frecuencia, este spyware se cuela cuando descarga un programa gratuito, o cuando hace clic en un anuncio emergente. Aprovecha el viaje sin que usted lo sepa. Cuando instala el programa que ha escogido, el spyware se instala también, sin decirle nada.

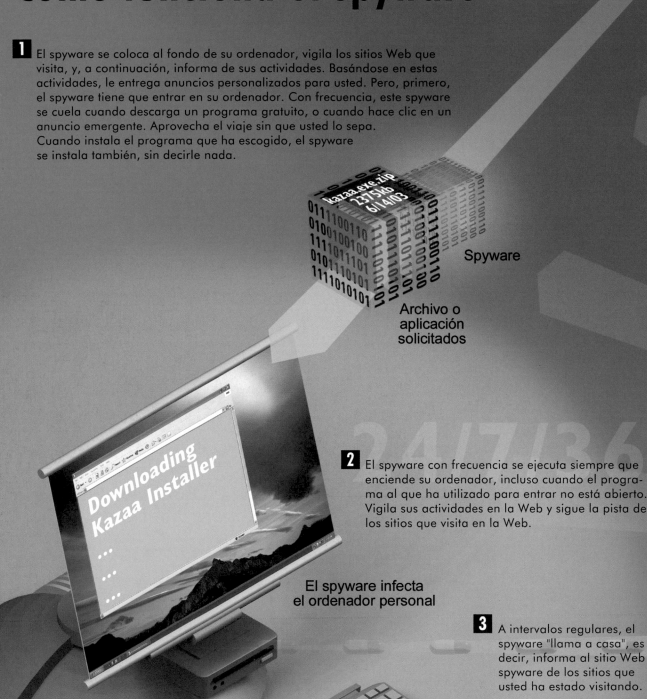

Spyware

Archivo o
aplicación
solicitados

El spyware infecta
el ordenador personal

2 El spyware con frecuencia se ejecuta siempre que enciende su ordenador, incluso cuando el programa al que ha utilizado para entrar no está abierto. Vigila sus actividades en la Web y sigue la pista de los sitios que visita en la Web.

3 A intervalos regulares, el spyware "llama a casa", es decir, informa al sitio Web spyware de los sitios que usted ha estado visitando.

5 Utilizando ese perfil, el sitio Web le hace llegar anuncios destinados a personas como usted. Los anuncios aparecen siempre que ejecuta el programa sobre el que el spyware ha entrado a su sistema. Cuando elimina el programa dentro del que el spyware entró en su sistema, normalmente el spyware no se elimina. Sigue vigilando sus actividades de navegación e informando de ellas, aunque no puede hacerle llegar anuncios basados en esa información, porque el programa sobre el que se encontraba ha sido eliminado. Para eliminar el spyware, necesita un detector de software y un programa de eliminación especiales, como Ad Aware de www.lavasoft.com.

Anuncios Web emergentes
de lanzamiento automático

4 Basándose en los sitios que ha estado visitando, el sitio Web del spyware crea un perfil sobre sus actividades de navegación.

Informe automatizado

Cómo protegerse del spyware

1 Los anti-spyware escanean un sistema en busca de partes de código denominadas firmas que son indicios de una infección de spyware.

2 Cuando encuentra lo que cree que es una firma, la compara con su base de datos de firmas. Si encuentra una coincidencia, sabe que hay una invasión de spyware.

3 Aparece nuevo spyware continuamente y, con frecuencia, se actualiza el software existente. Para asegurarse de que puede localizar todas las infecciones, el anti-spyware descarga de forma regular las últimas firmas, las más actualizadas. En algunos casos, existe spyware que no deja firmas ni indicios. En otros casos, el spyware cambia constantemente de forma, por lo que su detección es complicada. Por esta razón, hay anti-software que no sólo busca firmas, sino que también busca indicios de comportamiento sospechoso.

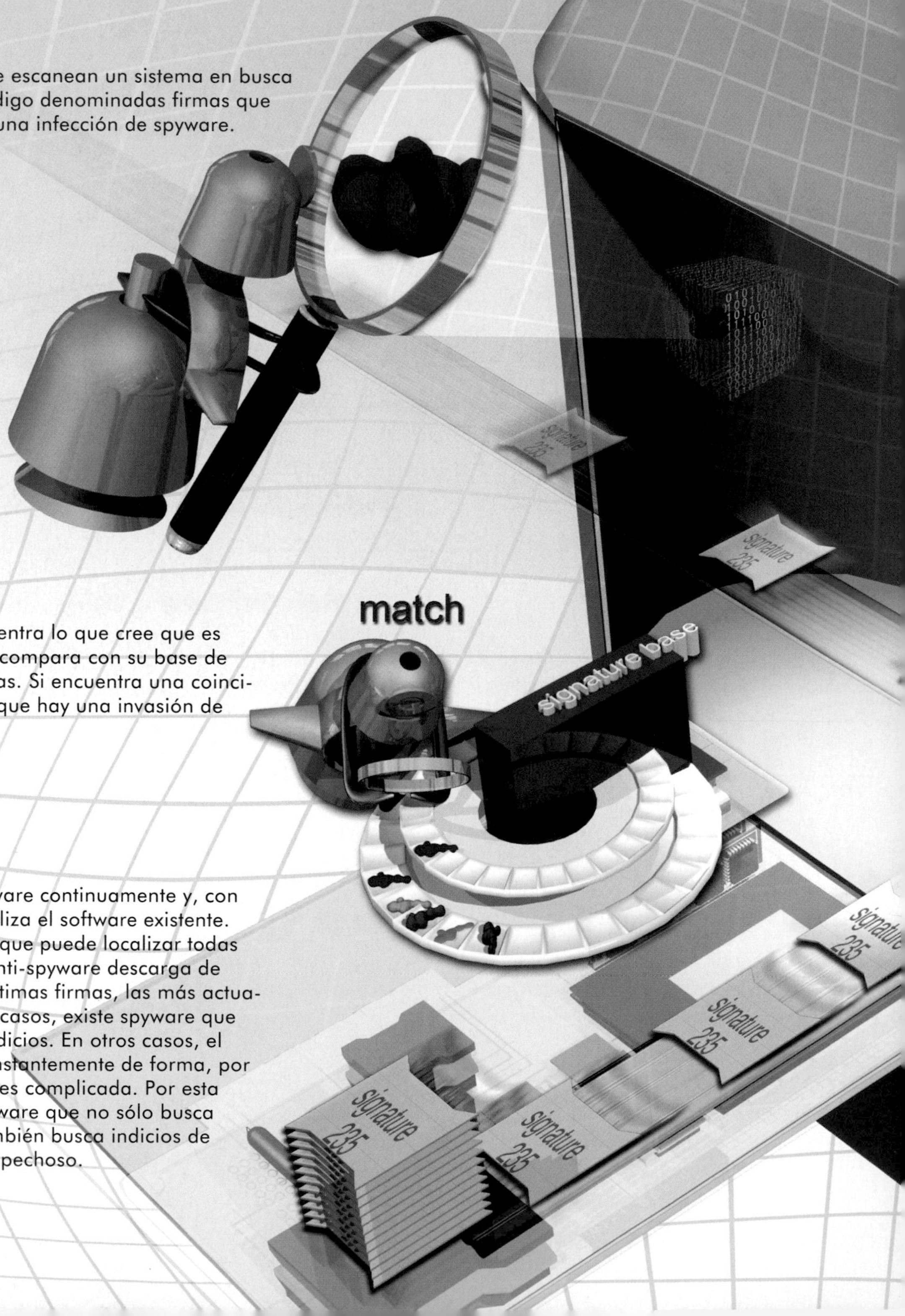
signature 235
signature 235
match
signature base
signature 235
signature 235
signature 235
signature 235

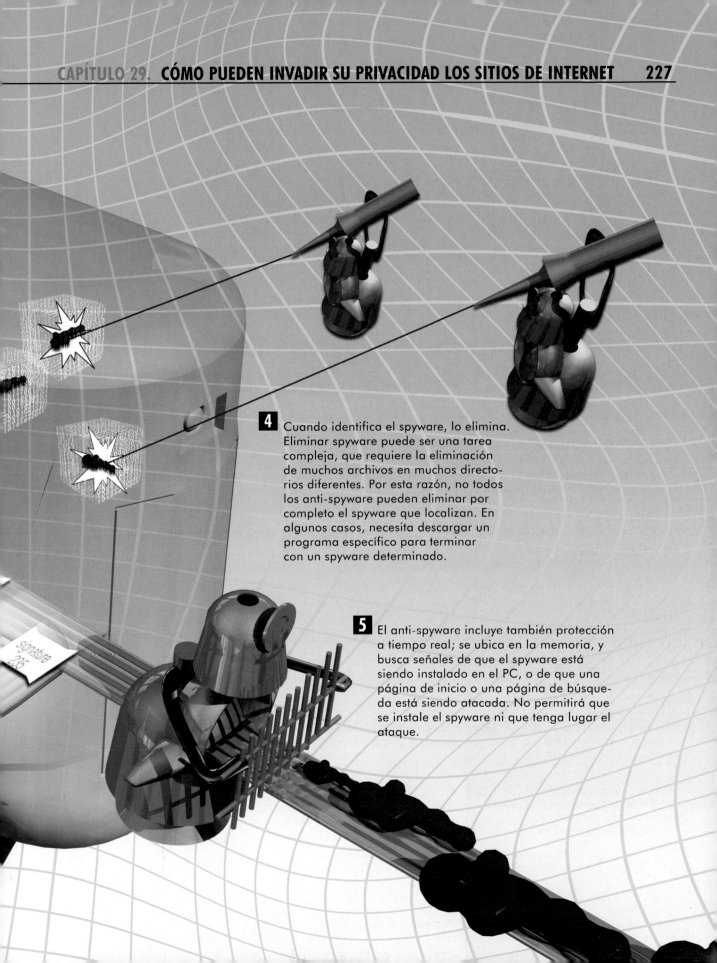

4 Cuando identifica el spyware, lo elimina.
Eliminar spyware puede ser una tarea
compleja, que requiere la eliminación
de muchos archivos en muchos directorios diferentes. Por esta razón, no todos
los anti-spyware pueden eliminar por
completo el spyware que localizan. En
algunos casos, necesita descargar un
programa específico para terminar
con un spyware determinado.

5 El anti-spyware incluye también protección
a tiempo real; se ubica en la memoria, y
busca señales de que el spyware está
siendo instalado en el PC, o de que una
página de inicio o una página de búsqueda está siendo atacada. No permitirá que
se instale el spyware ni que tenga lugar el
ataque.

Índice alfabético